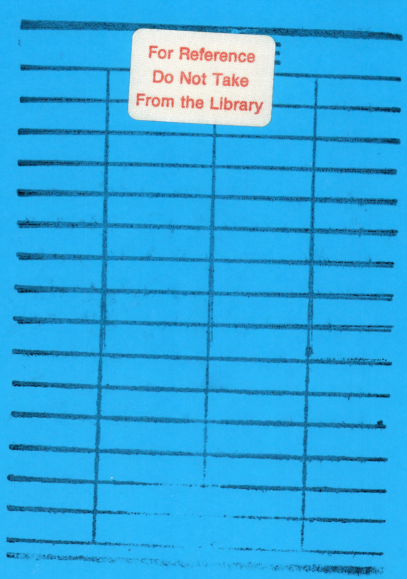

Enciclopedia Juvenil
EL CUERPO HUMANO

BIBLIOTECA JUVENIL DEL CUERPO HUMANO

Tomo 2
«La piel»
«El aparato digestivo»

Autor: Equipo Multilibro

Textos: Ramón Llobet
Ilustraciones: Ángel Segura, Manel Lorente, Jordi Segú,
Jordi Sabat, Francesc Martínez, Carlos De Miguel,
María Gracia, Francesc Ràfols, Toni Dalmau y Estudios Telos
Corrección técnica: Dr. Joan Tañà Solà
Dirección general: José Mª Parramón Homs
Dirección de edición: Antoni Inglés
Edición y diseño gráfico: Rosa Mª Moreno
Dirección de producción: Rafael Marfil

Depósito legal B-1815-91
Impreso por Sorpama, S.A.
ISBN obra completa 958-04-1352-5
ISBN Tomo 2: 958-04-1354-1

2

Enciclopedia Juvenil

EL CUERPO HUMANO

LA PIEL
EL APARATO DIGESTIVO

GRUPO EDITORIAL **norma**

Los trituradores de alimentos

Las fases de la digestión

La digestión de los alimentos consta de varias fases, en cada una de las cuales intervienen distintos órganos que forman parte de un mismo aparato: el aparato digestivo.

El aparato digestivo recibe también el nombre de tubo digestivo, y en su interior se transforman los alimentos sólidos y líquidos que ingerimos en sustancias que puedan ser asimiladas por el organismo. Éstas son las fases de la digestión de los alimentos en el tubo digestivo:

■ **En la boca** se realiza la *masticación* y la *insalivación* de los alimentos. Esta fase se llama digestión bucal.

En la masticación intervienen los dientes y el movimiento de las mandíbulas, que se realiza por la acción de dos potentes músculos: el *temporal* y el *masetero*, llamados *músculos masticadores*. Durante la masticación, los dientes cortan, desgarran y trituran los alimentos.

La insalivación es la mezcla de los alimentos triturados por los dientes con la saliva para humedecerlos lubrificarlos, e iniciar su tratamiento químico.

Después de la masticación y de la insalivación, el alimento recibe el nombre de bolo alimenticio.

■ **En la faringe** y **en el esófago** se efectúa la deglución del bolo alimenticio y el descenso de éste hacia el estómago.

Al tragar, un cartílago situado entre la laringe y la faringe, la *epiglotis*, cierra el paso al bolo alimenticio hacia las vías respiratorias.

De la faringe, el bolo alimenticio desciende por el esófago, gracias a la contracción de los músculos que forman la pared interior del esófago, y llega al estómago.

■ **En el estómago** tiene lugar la digestión gástrica, durante la cual los *jugos gástricos* actúan sobre el bolo alimenticio y lo transforman en una sustancia llamada *quimo*.

Cuando la familia de Marcos se reúne para comer, el abuelo, con su proverbial buen humor y sus ganas de «dar ejemplo», no pierde la ocasión para demostrar a los más jóvenes que, gracias a la comida sana, a haber masticado correctamente y a haberse preocupado de su higiene dental, tiene un aparato digestivo que jamás le ha jugado una mala pasada. ¡Y a pesar de los años, aún conserva sus dientes!

■ **En el intestino delgado** se realiza la digestión intestinal; a través de la acción de varios jugos, como la *bilis*, segregada por el hígado, el *jugo pancreático*, segregado por el páncreas, y el *jugo intestinal*, el quimo experimenta nuevas transformaciones hasta que es un líquido en el cual se hallan las sustancias nutritivas (obtenidas de los alimentos) están en condiciones de ser asimiladas por el organismo.

Una vez acabada la digestión intestinal, estas sustancias asimilables pasan a la sangre, a través de las paredes del intestino delgado en las que se hallan las *vellosidades intestinales*.

En cada vellosidad intestinal, hay pequeñas ramificaciones de los dos sistemas de transporte a larga distancia del cuerpo: los capilares sanguíneos y los capilares linfáticos. Los capilares sanguíneos recogen la mayor parte de las sustancias nutritivas, mientras que los capilares linfáticos recogen, sobre todo, materias grasas.

■ **En el intestino grueso** se absorbe la mayor parte del agua que contienen los alimentos y se inicia la eliminación de los *residuos* o restos no asimilables de los alimentos.

La lengua, órgano de la digestión

Ya vimos y describimos los principales elementos de la boca en el volumen dedicado a las vías respiratorias. Pero la función más importante de la boca es la de ser la vía de entrada del tubo digestivo.

En la cavidad bucal tiene lugar además la primera fase de la digestión, en la que intervienen sobre todo los *dientes*, de los que te hablamos en las próximas páginas, y la *lengua*.

La lengua es el órgano más grande de la cavidad bucal. Está formada por un conjunto de músculos y ocupa el llamado *suelo de la boca*, al que se halla unida por un pliegue que puedes ver con la lengua levantada: es el *frenillo*.

En el fondo de la boca, los músculos de la lengua están unidos a un hueso situado en la parte anterior del cuello, denominado *hueso hioides*.

Al estar unida sólo por los dos puntos citados, la lengua posee una gran movilidad: puedes impulsarla hacia delante y hacia atrás, levantarla, bajarla, desplazarla hacia las mejillas, etc.

Gracias a su movilidad, la lengua es un órgano muy activo en la masticación, la insalivación y la deglución del bolo alimenticio.

Durante la masticación, *amasa* y reparte el alimento entre los dientes, mientras éstos lo mastican.

La insalivación es otra función de la lengua, que consiste en mezclar el alimento con saliva para humedecerlo.

La lengua colabora también en la deglución del bolo alimenticio; una vez masticado y mezclado con la saliva, la lengua lo empuja hacia la faringe.

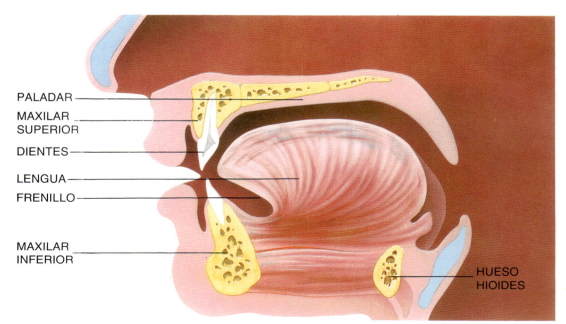

La lengua es un órgano muscular que tiene una extraordinaria movilidad. Ocupando el suelo de la boca, se inserta al hueso hioides y al maxilar inferior a través del frenillo. Es uno de los órganos más activos del cuerpo humano, que prácticamente nunca permanece en reposo. Cuando no colabora en la insalivación y deglución de los alimentos, se mueve para que podamos hablar o para tragar la saliva.

PALADAR

MAXILAR SUPERIOR

DIENTES

LENGUA

FRENILLO

MAXILAR INFERIOR

HUESO HIOIDES

SECCIÓN DE LA CAVIDAD BUCAL Y DE LA LENGUA

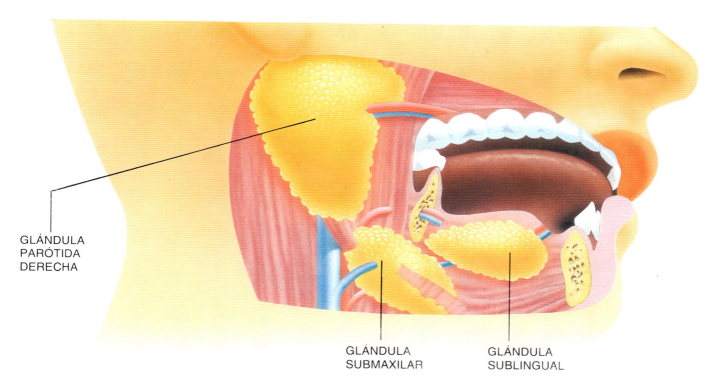

GLÁNDULA
PARÓTIDA
DERECHA

GLÁNDULA
SUBMAXILAR

GLÁNDULA
SUBLINGUAL

¿Para qué sirve la saliva?

La saliva limpia la boca de numerosos gérmenes y mantiene húmedos la lengua y los labios. Pero la principal función de la saliva está relacionada con la digestión: humedece y ablanda los alimentos para que, una vez masticados por los dientes, los podamos tragar.

La saliva contiene una enzima llamada *tialina* o *amilasa salival*, que inicia la transformación del almidón y los azúcares, y la *mucina*, otra enzima destinada a lubricar los alimentos.

La saliva la producen tres parejas de glándulas salivales: las mayores son las dos **glándulas parótidas**, que están situadas cada una debajo de una oreja; segregan gran cantidad de saliva para diluir y humedecer el alimento.

Las **glándulas submaxilares** también son dos y se encuentran en la mandíbula inferior; las **glándulas sublinguales**, más pequeñas, están situadas debajo de la lengua.

La *secreción* de las glándulas salivales está regulada desde el cerebro por los llamados *núcleos salivales*. Estos centros de mando pueden ser estimulados por olores o sabores agradables, por la visión de comidas apetitosas o por la ingestión de algún alimento.

La cantidad de saliva depende del tipo de alimento ingerido. A veces, basta con que pensemos en que estamos comiendo un limón para que la saliva comience a fluir en la boca. La saliva neutraliza, en parte, la acidez del limón y, por ello, se incrementa la producción de saliva para que el tubo digestivo no resulte dañado.

¿Sabías que...

...no siempre se han utilizado cubiertos en la mesa?

Los humildes y vulgares cubiertos, es decir, el cuchillo, el tenedor y la cuchara, no se han empleado siempre juntos.

El más antiguo de los tres es, sin duda, el cuchillo. El hombre primitivo comenzó utilizando piedras de corte afilado y, más tarde, fabricó los primeros cuchillos con piedras de sílex o de pedernal. Era arma de caza e instrumento para cortar y comer la pieza de caza.

Al cuchillo le sigue en antigüedad la cuchara, que primero fue de madera.

En la Edad Media, no estaba mal visto comer con los dedos, después de haber utilizado la espada o el puñal de caza para cortar la carne del buey o del jabalí asado en las cocinas del castillo.

A finales del siglo XV, comenzaron a utilizarse en Europa los cuchillos de mesa e hizo su aparición el tenedor.

Esto sucedía, sin embargo, en las mesas ricas y bien servidas de los nobles. El uso del cubierto tal como lo entendemos hoy no se generalizó hasta varios siglos después.

¿Cuáles son las partes de un diente?

Los dientes se hallan dispuestos en dos hileras, llamadas *arcos dentales*, situadas en la parte superior e inferior de la boca.

Los dientes del arco dental superior están alojados en el hueso maxilar superior y los del arco inferior, en el maxilar inferior.

En cada diente, se distinguen tres partes:

La raíz

Es la parte del diente oculta en el hueso maxilar alojada en una cavidad o hueco llamado *alveolo dental*. Cada alveolo está rodeado por un tejido con vasos sanguíneos, nervios y fuertes fibras, que sujetan firmemente la raíz del diente al hueso.

El cuello

La parte del diente situada a continuación de la raíz es el cuello. El cuello se halla recubierto por la *encía*, un tejido mucoso, irrigado por numerosos vasos sanguíneos.

La corona

Es la parte externa y visible del diente, que sobresale de la encía.

La forma de la corona depende de la función que el diente desempeñe: como te explicaremos en seguida, en unos dientes es afilada para cortar, en otros es puntiaguda para desgarrar y en otros es plana y ancha para triturar.

En nuestras piezas dentales distinguimos un corona, un cuello y una raíz.
En la ilustración de la página siguiente puedes apreciar perfectamente cómo la raíz queda insertada en el alveolo dental, y el cuello oculto por la encía. Sólo la corona es externa y visible, sobresaliendo de la encía.

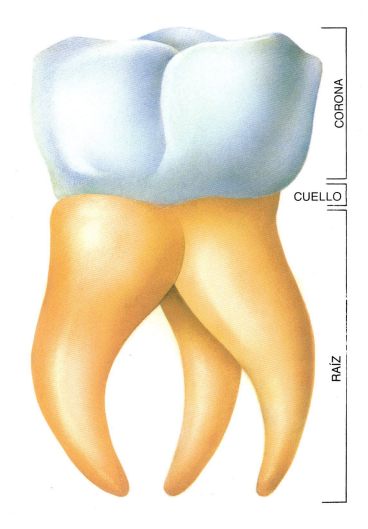

CORONA

CUELLO

RAÍZ

¿De qué está hecho un diente?

Supón que cortamos un diente en sentido vertical para ver las distintas capas de las que está formado; observaríamos la *capa externa*, la *capa interna* y la *cavidad central*.

La capa externa

La capa externa del diente tiene dos funciones: *protectora*, para evitar el desgaste del diente, y *mecánica*, es decir, permitir que se realice la masticación.

Esta capa externa es distinta en la corona y en la raíz.

■ **Capa externa de la corona.** La capa externa de la corona es el esmalte. Es blanco y brillante y está formado por hidroxiapatita, que es un *fosfato de calcio fluorado*, recubierto por una cutícula dental que aumenta su resistencia.

El esmalte es el material más duro del cuerpo humano y no contiene vasos sanguíneos ni nervios.

CAPAS DE UN DIENTE VISTAS EN SECCIÓN

■ **Capa externa de la raíz.** La capa externa que recubre la raíz es el cemento, un tejido parecido al tejido óseo.

La capa interna

En la corona, el cuello y la raíz del diente, por debajo de la capa externa de esmalte o de cemento, existe una gruesa capa de tejido similar también al tejido óseo, llamada dentina o marfil.

La cavidad central

La parte central del diente o *cavidad dental* es una masa blanda y esponjosa, que recibe el nombre de pulpa. A través de la raíz del diente, llegan a la pulpa numerosos vasos sanguíneos y nervios.

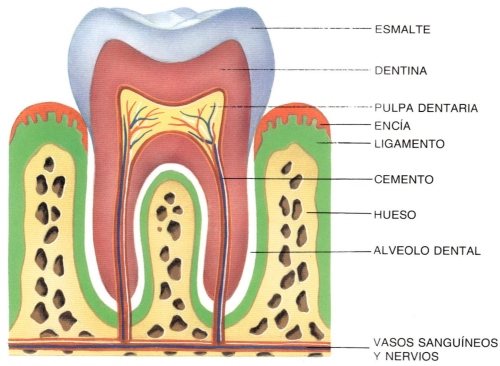

ESMALTE
DENTINA
PULPA DENTARIA
ENCÍA
LIGAMENTO
CEMENTO
HUESO
ALVEOLO DENTAL
VASOS SANGUÍNEOS Y NERVIOS

¿Sabías qué...

...funciones tienen los dientes de algunos animales?

No todos los animales utilizan los dientes sólo para masticar.

La ballena azul, por ejemplo, no tiene dientes. En su lugar, posee dos hileras de delgadas láminas, llamadas *barbas*, con las que filtra el agua y retiene el *plancton*.

Los roedores, como el conejo y la rata, tienen en el centro de las mandíbulas unos dientes largos y muy afilados que se denominan *incisivos*. Les crecen continuamente y así no se desgastan nunca.

Para algunos animales no representa ningún problema que se les rompa un diente. El cocodrilo es uno de ellos ya que le salen los dientes unas veinte veces durante su vida.

Los carnívoros, como el león, el tigre, el lobo o el perro, utilizan sus fuertes molares para triturar y desmenuzar la carne y atacan y sujetan a sus presas con sus largos y afilados caninos.

Pero otros dientes pueden ser aún más peligrosos que los de los carnívoros, como los dientes de la víbora, a través de los cuales inocula su veneno.

SERPIENTE (DIENTES QUE INOCULAN VENENO)

CONEJO (ROEDOR CON GRANDES INCISIVOS CORTANTES)

COCODRILO (VARIAS DENTICIONES)

Clases de dientes

Como veremos en las próximas páginas, cuando caen los *dientes de leche*, son sustituidos por cuatro tipos distintos de dientes: **incisivos, caninos**, los **primeros** y **segundos molares**, que ya figuran entre los dientes de leche, y los **premolares** y **terceros molares**, que sólo aparecen en las últimas fases de la dentición permanente.

Estos cuatro tipos de dientes, cada uno con una función distinta en la masticación, están distribuidos por igual en las mandíbulas superior e inferior.

Los dientes incisivos

Están situados en la parte delantera del arco dental y son ocho, cuatro en la mandíbula superior y cuatro en la mandíbula inferior.

Los dientes incisivos tienen una sola raíz y su corona posee forma de cizalla, lo que los hace muy aptos para desempeñar su función: cortar y partir los alimentos.

Los dientes caninos

También se llaman *colmillos* y están situados al lado de los incisivos; son cuatro, dos en cada mandíbula.

Los caninos tienen, como los incisivos, una sola raíz, pero la forma de la corona es puntiaguda.

Ayudan a los incisivos a cortar y partir los alimentos, pero al ser más largos y puntiagudos, se han especializado en desgarrar algunos alimentos, como la carne.

DENTADURA COMPLETA

MAXILAR SUPERIOR

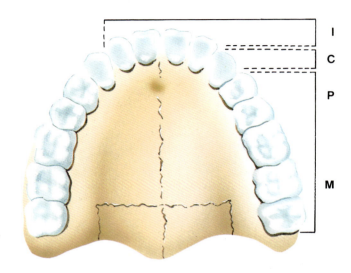

MAXILAR INFERIOR

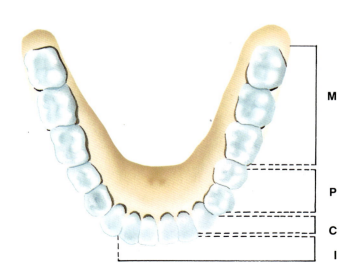

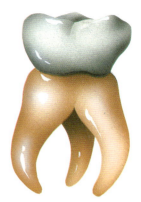

INCISIVO **(I)** CANINO **(C)** PREMOLAR **(P)** MOLAR **(M)**

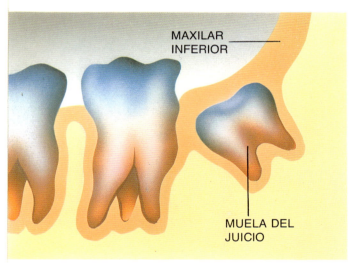

MAXILAR
INFERIOR

MUELA DEL
JUICIO

Es fácil advertir que la forma de nuestros dientes es la que más conviene a la función específica que tienen encomendada: cortar (incisivos), desgarrar (caninos) y triturar (molares).

El último alveolo dental está ocupado por la muela del juicio, llamada así porque, si se decide a salir, lo hace cuando el individuo tiene una edad en la que se le supone una persona juiciosa.

Los dientes molares

Se hallan situados al final del arco dental y son doce, seis en cada mandíbula. Su función es la de trabajar conjuntamente con los premolares para triturar los alimentos.

Los dientes molares tienen una raíz muy fuerte, dividida en dos, tres o más ramas, y la corona es ancha y con dos protuberancias.

Los últimos molares, que son cuatro, dos en cada mandíbula, se llaman **muelas del juicio**.

Las muelas del juicio suelen salir entre los veinte y los treinta años de edad, cuando se supone que las personas han adquirido un cierto grado de buen sentido o juicio, suposición de la que proviene su nombre.

Sin embargo, también puede ocurrir que las muelas del juicio no aparezcan nunca, porque el crecimiento de los otros molares no les haya dejado espacio en las mandíbulas.

Los dientes premolares

Están situados dos a cada lado de los caninos, cuatro en la mandíbula superior y cuatro en la mandíbula inferior, o sea, ocho premolares en total.

Los dientes premolares tienen una o dos raíces y la forma de la corona es cúbica, con dos prominencias, llamadas *tubérculos*.

La función de los premolares es la de triturar y masticar los alimentos.

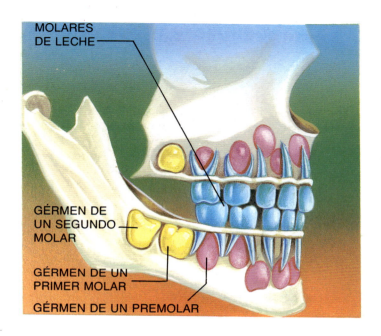

MOLARES
DE LECHE

GÉRMEN DE
UN SEGUNDO
MOLAR

GÉRMEN DE UN
PRIMER MOLAR

GÉRMEN DE UN PREMOLAR

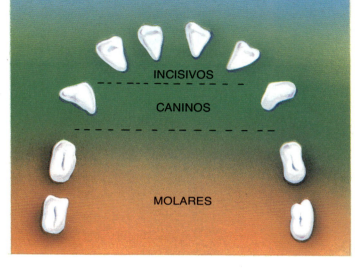

INCISIVOS

CANINOS

MOLARES

Los dientes de leche

El ser humano tiene dos *denticiones*, es decir, le salen dos dentaduras, a lo largo de su vida.

La primera dentadura o dientes de leche empieza a aparecer entre los seis y los ocho meses de edad. Estos primeros dientes se llaman «de leche» porque la alimentación del bebé es básicamente láctea.

La dentición puede iniciarse con dos incisivos, que normalmente son los de la mandíbula inferior; pero a veces, sólo sale un incisivo y el segundo no aparece hasta el año de edad.

Cuando el bebé ha cumplido un año, puede tener los ocho incisivos y hacia el año y medio, pueden haber comenzado a despuntar los cuatro caninos. Hacia los dos años o los dos años y

medio, han salido los primeros y segundos molares, que completan los dientes de leche. Estas edades son, sin embargo, aproximadas, pues los dientes no salen a la misma edad ni en el mismo orden en todos los niños.

En esta primera dentición, salen veinte dientes, de los que ocho son incisivos, cuatro son caninos y ocho son molares.

Los dientes de leche se llaman también *caducos*, porque caen cuando comienza la dentición permanente, durante la cual cada diente de leche es reemplazado por un diente definitivo.

La primera dentición proporciona una dentadura de veinte piezas: ocho incisivos, cuatro caninos y ocho molares. En el interior de los maxilares van creciendo los gérmenes de los dientes definitivos.

A su debido tiempo empezarán a «empujar» a los dientes de leche hasta hacerlos caer definitivamente y sustituirlos por una dentadura definitiva de treinta y dos piezas que será para toda la vida.

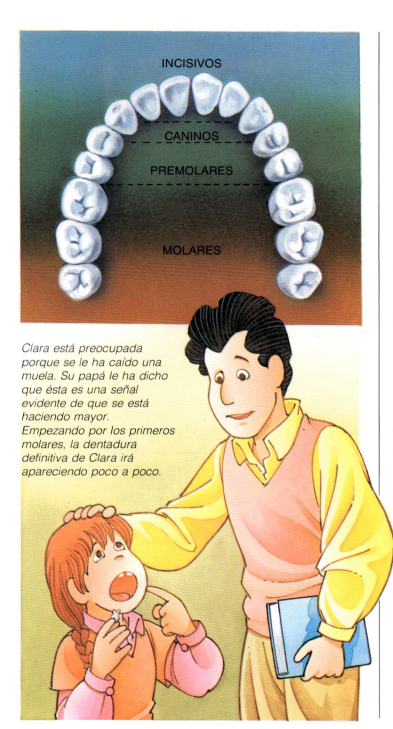

INCISIVOS

CANINOS

PREMOLARES

MOLARES

Clara está preocupada porque se le ha caído una muela. Su papá le ha dicho que ésta es una señal evidente de que se está haciendo mayor. Empezando por los primeros molares, la dentadura definitiva de Clara irá apareciendo poco a poco.

Dientes para toda la vida

La dentición permanente suele iniciarse hacia los seis años de edad. En los huesos maxilares superior e inferior, comienzan a formarse la raíz y la corona de los dientes definitivos, mientras la raíz de los dientes de leche comienza a desprenderse de los alveolos dentales, a los que estaban firmemente adheridos.

Los dientes de leche permanecen entonces sujetos por las encías y basta el empuje de los dientes que comienzan a salir para hacerlos caer.

Los dientes que sustituyen a los dientes de leche formarán la dentadura adulta, que debemos esforzarnos por conservar, pues si alguno de estos dientes tiene que ser extraído, ya no crece otro en su lugar.

La dentición permanente suele empezar con la aparición del primer molar, entre los seis y los siete años. Desde los seis a los diez años, son sustituidos los incisivos de leche por los definitivos y entre los nueve y los doce años, salen los caninos y los premolares permanentes.

El segundo molar tarda algo más en salir: entre los doce y los quince años; pero la pieza de la dentadura que más se hace esperar es, como ya sabes, el tercer molar o *muela del juicio.*

La dentadura definitiva consta de treinta y dos dientes: ocho incisivos, cuatro caninos, ocho premolares y doce molares.

Esta dentadura es ya para toda la vida, duración que, debido a circunstancias muy diversas, sólo se consigue, generalmente, a base de cuidados higiénicos y la ayuda del odontólogo.

Las ventajas de masticar bien

Cuando masticas un alimento, lo cortas y lo trituras con los dientes, hasta convertirlo en el bolo alimenticio, que puedes tragar fácilmente.

Cada tipo de diente está especializado en una forma distinta de masticar. Los incisivos actúan como una cizalla, cortando los alimentos, sobre todo si no son muy duros, como el pan. Los puntiagudos caninos se utilizan más para desgarrar, por ejemplo, la carne. Después de haberlos cortado y desgarrado, normalmente los alimentos son triturados por los premolares y por los molares.

Con el objeto de que cada grupo de dientes realice correctamente su trabajo en la masticación de los alimentos, debes procurar:
• Tomar la comida en bocados pequeños.
• Masticar despacio.
• Masticar por ambos lados de la boca.
• No tragar el bocado hasta que el bolo alimenticio esté bien formado.

Estas normas de masticación son especialmente importantes cuando se come carne; no es raro que se trague poco masticada o que, debido a la fibra que contiene, se forme una «bola», difícil de tragar. Por ello, conviene que en el plato la cortes en pequeños trozos y que luego los mastiques despacio.

Comer de prisa y masticar poco son los dos mayores enemigos de una digestión correcta. Los jugos digestivos actúan con más facilidad sobre el bolo alimenticio si los alimentos han sido bien masticados. Si comes de prisa y masticas poco, vas a digerir con dificultad.

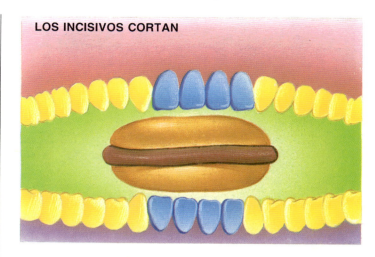

LOS INCISIVOS CORTAN

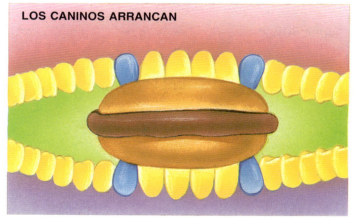

LOS CANINOS ARRANCAN

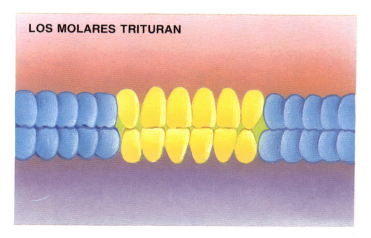

LOS MOLARES TRITURAN

¿Sabías que...

...la «cadena alimentaria» va desde las plantas al ser humano?

Muchos de los alimentos que encuentras en la mesa cuando te dispones a comer son el resultado de la cadena alimentaria.

En la naturaleza, todo está dispuesto para que esta cadena alimentaria funcione correctamente, pues garantiza la supervivencia de todos los seres vivos.

La energía necesaria para que exista vida procede del sol. Éste proporciona energía a las plantas, para que elaboren su propio alimento, a través de la *fotosíntesis*.

Algunos animales, como el conejo, se alimentan de plantas; son **herbívoros**.

Otros animales son **carnívoros** y se alimentan con animales herbívoros, como el zorro, que se come al conejo.

Algunos animales se alimentan de plantas y de otros animales; son los **omnívoros**. El hombre es omnívoro, porque se nutre de alimentos vegetales, como el pan, el arroz y las verduras, y de alimentos de origen animal, como la carne y el pescado.

El paso de la energía desde una planta a un herbívoro y de éste a un carnívoro o a un omnívoro recibe el nombre de **cadena alimentaria**.

CARNÍVORO

OMNÍVORO

HERBÍVORO

PLANTA

Los vegetales son los únicos seres vivos que gracias a la fotosíntesis, transforman materia inorgánica en materia orgánica, de modo que todas las demás formas de vida dependen, en última instancia, de la existencia de los vegetales. Sin ellos la vida en la Tierra iba a desaparecer.

Una dentadura sana

Evitar el consumo excesivo de azúcar, en especial de dulces y golosinas, y practicar una buena higiene dental son medios a tu alcance para mantener tu dentadura sana.

Pero además tus dientes precisan de flúor, calcio y vitamina D.

■ **El flúor** químicamente puro es un elemento gaseoso muy tóxico. Sin embargo forma parte del esmalte de los dientes y éstos lo necesitan para aumentar su dureza y su resistencia a la caries.

Los efectos beneficiosos del flúor debidamente administrado, pueden obtenerse fácilmente a través del agua que bebemos, pues generalmente en las plantas potabilizadoras de agua, se le añaden pequeñas cantidades de dicho elemento.

Sin embargo, este aporte de flúor no es suficiente para fortalecer el esmalte dental.

Por ello, es aconsejable cepillarse los dientes con un dentífrico fluorado, para completar la «ración» de flúor que precisan los dientes.

El flúor puede tomarse también en pastillas, que se disuelven en la boca.

■ **El calcio y la vitamina D** son necesarios para un desarrollo adecuado de los huesos y de los dientes.

La vitamina D favorece la absorción, a través del intestino, del calcio que contienen algunos alimentos.

En una comida variada hay calcio suficiente, además de otras sustancias minerales y proteínas que el organismo necesita; pero los alimentos más ricos en calcio son la leche, el queso, las legumbres y los huevos.

¿Sabías que...

...con el marfil se hacen verdaderas obras de arte?

El elefante es el rey de los herbívoros, pues es capaz de comer en un solo día más de cincuenta kilos de hojas, frutas y raíces. Para coger el alimento, utiliza la trompa, que es, al mismo tiempo, nariz y «mano».

Pero una de las características más curiosas del elefante son sus colmillos, de los que sólo vemos la mitad de su longitud total. Se trata de los dientes incisivos superiores, que al desarrollarse mucho se curvan hacia delante.

En los museos de historia natural, se conservan colmillos de tres metros y medio y de más de treinta kilos de peso.

Los colmillos son de marfil, un material muy apreciado, que aunque existe en los dientes de otros animales, como el hipopótamo y la morsa, sólo el elefante suministra en cantidad.

Desde muy antiguo, se ha utilizado el marfil para realizar objetos artísticos, como pequeñas estatuillas, decoración de muebles, juegos de ajedrez, estuches, etc. El arte de trabajar el marfil, en el que son expertos muchos pueblos de África y del lejano Oriente, se llama **arte eborario**.

Desde tiempos muy remotos, el marfil ha sido considerado una materia noble para la expresión artística. El arte de la talla del marfil (arte eborario) ha proporcionado obras de un gran interés y perfección en culturas tan lejanas y dispares como la egipcia, la sumeria, la asiria, fenicia, griega, romana, árabe, etc. Son muy características las tallas eborarias de los países del Lejano Oriente, como el colmillo tallado que puedes ver en esta misma página.

Los que conocemos a Bernardo sabemos que su punto flaco son las golosinas. Pasteles, caramelos, chocolatinas... mientras se trate de cosas dulces, no puede resistir la tentación de chupar y comer a todas horas. Si no aprende a controlar su exagerada afición al azúcar, Bernardo no tardará en saber qué es un dolor de muelas debido a la caries. A Marcos y a la pequeña Clara también les gustan los dulces. Pero saben que conservar una dentadura sana es muy importante para la salud de todo el cuerpo. Marcos y Bernardo están en una edad en la que buena parte de sus dientes son ya para toda la vida, o sea, irreemplazables.

Un enemigo: la caries

Como ya sabes, el esmalte dental es el material más duro de nuestro cuerpo. Debido a ello, los dientes cortan y trituran los alimentos, sin sufrir desgaste; sucede justamente todo lo contrario: la masticación correcta de los alimentos es beneficiosa para los dientes.

Nuestros dientes tienen, sin embargo, un terrible enemigo, que por sí solo puede perforar una sustancia tan dura y resistente como el esmalte y llegar a la pulpa dental; este enemigo declarado del diente es la caries.

La caries es una perforación progresiva del diente, producida por la acción destructiva de un àcido.

Los hidratos de carbono que hay en los restos de alimentos que quedan entre los dientes son fermentados por numerosas bacterias y convertidos en ácidos que atacan y destruyen el esmalte del diente.

La caries comienza siendo una pequeña cavidad en el esmalte, que no produce dolor; pero si perfora el esmalte, puede llegar a la dentina y a la pulpa dental y entonces el contacto con alimentos fríos o calientes produce un agudo dolor: es el conocido dolor de muelas.

La caries suele empezar en los huecos entre los dientes, donde quedan retenidos restos de alimentos, sobre todo entre las muelas, donde muchas veces no llega el cepillo de dientes.

Cuando la caries ha comenzado a perforar el esmalte del diente, en en hueco quedan restos de alimento, que favorecen que la caries progrese y siga perforando el diente.

Entre las causas que pueden contribuir a la aparición de caries, destacan una deficiente higiene dental, la carencia de calcio y flúor en los dientes y el consumo excesivo de golosinas y de alimentos muy azucarados.

¿Qué se debe y qué no se debe hacer para prevenir la aparición de caries?

Esto es lo que debes hacer:
• Lavarte los dientes después de cada comida, para eliminar los restos de alimentos.
• Utilizar un dentífrico que contenga flúor.

• Acudir a la consulta del dentista, por lo menos dos veces al año.

Esto es lo que no debes hacer:
• Comer demasiados dulces y golosinas, sobre todo fuera de las horas de las comidas. Tomar un exceso de golosinas o bebidas azucaradas, como refrescos y colas, tiene un efecto más perjudicial sobre tus dientes, que si las tomas en menor cantidad, durante las comidas; por ello, es peor comer dulces y caramelos entre horas que comer pastel a la hora del postre.
• Tomar exclusivamente alimentos blandos, que impiden a los dientes trabajar y fortalecerse.
• Irte a la cama sin haberte lavado los dientes.

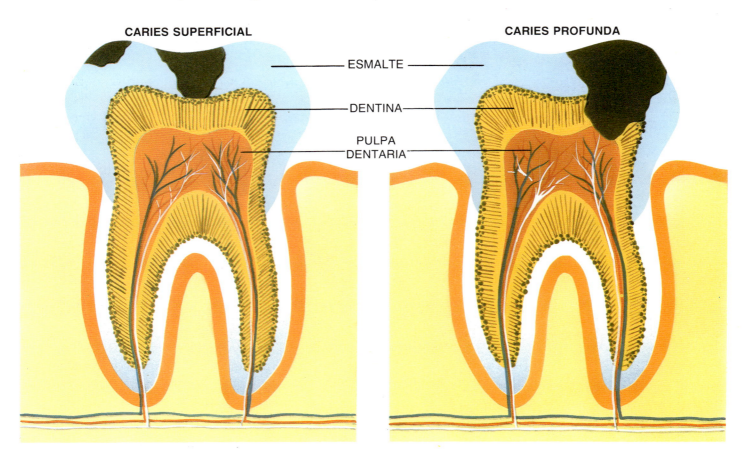

CARIES SUPERFICIAL

CARIES PROFUNDA

ESMALTE

DENTINA

PULPA DENTARIA

Más vale prevenir que curar

La higiene dental

La higiene dental consiste sobre todo en el lavado correcto de los dientes, pero también incluye una serie de normas —de cosas que debes y que no debes hacer— para mantener la dentadura sana.

La boca es el termómetro de la salud. Es la vía de entrada de numerosos gérmenes y bacterias; no realizar una correcta higiene bucal puede ser, por lo tanto, el origen de infecciones en otras partes del cuerpo.

Cómo lavarse los dientes

Si no se eliminan bien los restos de comida que quedan entre los dientes, las bacterias que abundan en la boca transforman los azúcares de los alimentos en sustancias ácidas, que acaban atacando el esmalte de los dientes y provocan la caries.

Por ello, lavarse los dientes de prisa y sin cepillar toda la dentadura tiene pocos *efectos* beneficiosos y no elimina totalmente los restos de alimentos.

El cepillado correcto de los dientes debe ser:

■ **Frecuente.** A ser posible, debes lavarte los dientes al levantarte por la mañana y después de cada comida. El último cepillado del día, antes

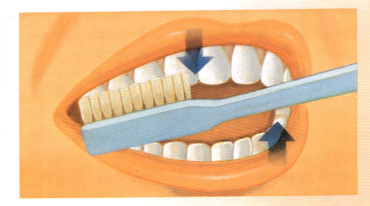

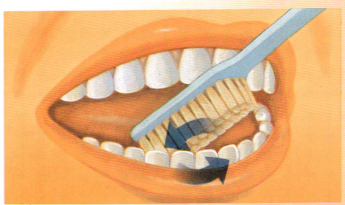

Cuando te laves los dientes, procura que las cerdas del cepillo lleguen a todas partes. Por ello debes usarlo según la posición de la ilustración superior, con movimientos verticales para desprender la suciedad de entre los dientes, y también como demuestra la ilustración inferior, pasándolo por detrás de los dientes para evitar la formación del sarro, que es una sustancia amarillenta, calcárea, que se adhiere al esmalte de los dientes, lo oscurece y lo deteriora.

de irte a dormir, es muy conveniente, porque por la noche, los gérmenes pueden actuar a sus anchas, mientras que durante el día, los movimientos de la lengua y la mayor producción de saliva favorece la eliminación de residuos.

■ **Enérgico.** El cepillado de los dientes debes realizarlo con movimientos vigorosos, pero con el cuidado suficiente para no dañar las encías.

■ **Amplio.** Debes cepillar toda la dentadura, no sólo la parte delantera.

Por ello, es aconsejable que utilices un

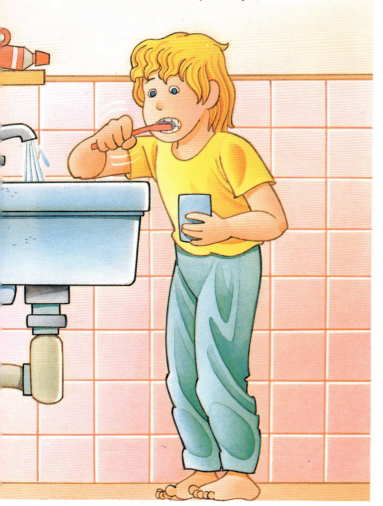

cepillo pequeño, que podrás introducir más fácilmente en los recovecos de la boca, incluso detrás de los dientes.

Debes mover el cepillo en sentido vertical para desprender los restos de comida que haya entre los dientes y efectuar movimientos circulares sobre la corona de los dientes, llegando hasta los premolares y los molares. Si mueves el cepillo en sentido horizontal y frotas demasiado, puedes dañarte las encías.

¡Que trabajen todos los dientes!

La masticación correcta de los alimentos es también una buena norma de higiene dental que pocas veces se cumple. En general, puede afirmarse que la gente no sabe masticar bien.

No sólo debes masticar despacio para desmenuzar bien los alimentos, sino que toda la dentadura debe intervenir en la masticación, acostumbrándote a masticar por ambos lados de la boca.

¡Cuidado con las golosinas!

Ya sabes que el consumo excesivo de dulces, golosinas y bebidas azucaradas es muy perjudicial para los dientes. No se trata de que, de la noche a la mañana, dejes de comer caramelos o de beber refrescos de cola; pero sí que se trata de poner algo de tu parte, tomando algunas precauciones tan sencillas como éstas:

• No comas dulces, chicles o caramelos entre comida y comida, y menos aún antes de acostarte.

• No abuses del azúcar en las comidas.

• Evita el consumo excesivo de bebidas azucaradas, como refrescos y bebidas a base de cola.

La visita periódica al dentista

Una buena norma de higiene dental es la visita periódica al dentista. Esta visita, qué debería realizarse por lo menos dos veces al año, servirá para comprobar si tu dentadura está sana y si tus dientes crecen correctamente.

No debes sentir temor por acudir a la visita del dentista. Las técnicas que se emplean actualmente en *odontología* causan poco o ningún dolor.

El dentista emplea unas herramientas muy pequeñas para trabajar en tu boca. Una de estas herramientas es un pequeño espejo con mango, que le permite ver la parte interior de los dientes. Con el espejo y tocándolos con un pequeño martillo, puede comprobar si tus dientes están cariados.

Si tienes algún diente o alguna muela cariada, es probable que el dentista decida hacer un empaste.

Primero, hace servir el torno, que es una especie de rueda muy pequeña que gira muy deprisa y con la que limpia la caries. Luego rellena el hueco con un cemento similar al que existe en la raíz del diente. Esto es el empaste. Después el cemento se endurece y la muela o el diente quedan como nuevos.

Pero el dentista busca algo más que caries. Se asegura de que tienes los dientes que corresponden a tu edad y comprueba si algún diente crece torcido. En tal caso, es probable que decida corregir el defecto con alguna de las técnicas de la *ortodoncia*, como te explicamos en la próxima página.

Con el tiempo, es muy difícil evitar la formación de sarro detrás de los dientes. Sólo un odontólogo podrá eliminarlo del todo. Además de las razones que damos en el texto, la necesidad de eliminar las adherencias calcárea es otro motivo suficiente para acudir regularmente al dentista.

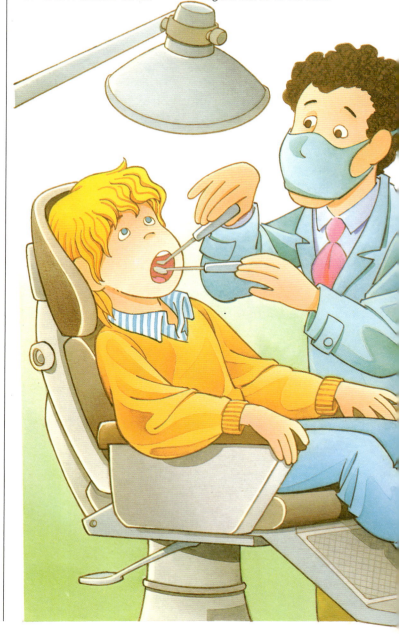

El dolor de muelas

La causa más frecuente del dolor de muelas es la caries. Cuando la caries ha perforado el esmalte dental y ha llegado a la pulpa, o parte central del diente, ésta se infecta y se inflama.

La presión que los tejidos inflamados ejercen sobre los nervios en la pulpa provoca la odontalgia o dolor de muelas.

La inflamación de la pulpa puede extenderse a la raíz del diente, por donde entran los vasos sanguíneos y los nervios, y afectar a los tejidos próximos. Cuando la infección provoca la acumulación de pus en el hueso, se produce un *flemón*.

Existen muchos analgésicos o calmantes para combatir el dolor de muelas. Pero es preferible acudir al dentista, quien limpiará la caries o empastará el diente, recetará *antibióticos* para rebajar el *flemón* o extraerá el diente si está muy deteriorado.

Cuando los dientes no crecen derechos

Cuando los dientes crecen de forma correcta, están al mismo nivel, sin huecos entre ellos, y al cerrar las mandíbulas, el arco dental superior sobresale ligeramente del inferior.

Sin embargo es relativamente frecuente que los dientes superiores sobresalgan demasiado sobre los inferiores. Este defecto, conocido con el nombre de *maloclusión*, es causado por costumbres adquiridas durante la infancia, como el uso prolongado del chupete o como chuparse el pulgar para dormir.

Éste y otros defectos de crecimiento de los dientes pueden ser corregidos con la ortodoncia, una de cuyas técnicas consiste en la colocación de aros metálicos o alambres entre los dientes para, con el tiempo, desplazarlos dentro de los alveolos y llevarlos a la posición correcta.

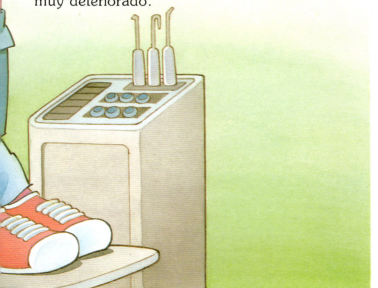

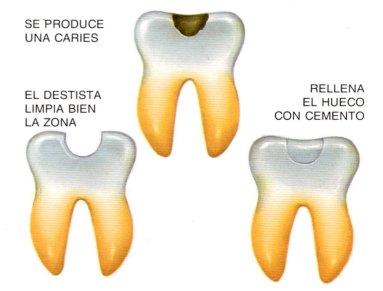

SE PRODUCE UNA CARIES

EL DESTISTA LIMPIA BIEN LA ZONA

RELLENA EL HUECO CON CEMENTO

Los alimentos y el estómago

Comer para vivir

Como te explicamos en los volúmenes dedicados a la respiración, el oxígeno contenido en el aire que inspiramos es recogido en los alveolos pulmonares por los glóbulos rojos de la sangre y llevado a todas las células del cuerpo.

El oxígeno es el único elemento necesario para vivir que las células absorben directamente. Todos los demás elementos nutrientes que el organismo necesita provienen de los alimentos y deben ser asimilados.

La alimentación, que es esencial para disponer de la energía necesaria para vivir, cumple tres funciones básicas en nuestro organismo:

• Proporciona energía para que el cuerpo realice las *funciones de relación*, como andar, correr o jugar, y para que se efectúen las *funciones vitales*, es decir, para que todos los órganos funcionen correctamente.

• Aporta el «material» necesario para asegurar el crecimiento del cuerpo, así como la renovación y reparación de sus diversos tejidos.

• Aporta las sustancias necesarias para la regulación de la actividad química que se da en el organismo y que conocemos con el nombre de metabolismo.

Los alimentos son asimilados por nuestro

organismo, a través de distintas fases de transformación, que tienen lugar en el **aparato digestivo**.

OXÍGENO

ALIMENTO

ENERGÍA

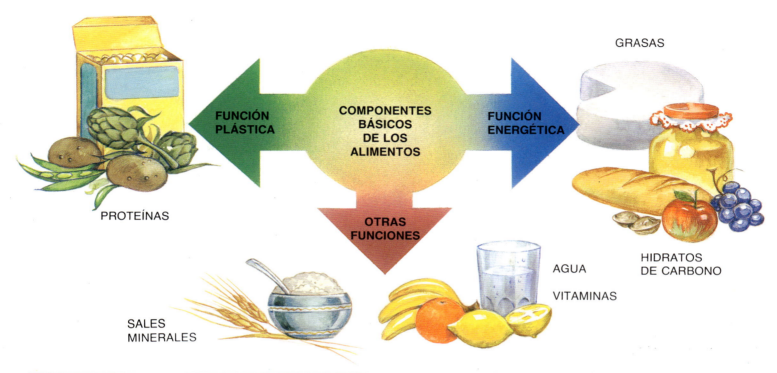

FUNCIÓN PLÁSTICA

COMPONENTES BÁSICOS DE LOS ALIMENTOS

FUNCIÓN ENERGÉTICA

GRASAS

OTRAS FUNCIONES

PROTEÍNAS

SALES MINERALES

AGUA

VITAMINAS

HIDRATOS DE CARBONO

Los componentes básicos

Pero ¿cómo convierte nuestro organismo un bistec o un bocadillo en la energía necesaria para movernos y para que funcionen los órganos de nuestro cuerpo y en el «material» para construir los distintos tipos de tejidos corporales?

Lo hace de dos maneras: transformando las sustancias contenidas en los alimentos a través de distintas fases de la digestión, y absorbiendo las partes aprovechables de los alimentos a través del intestino delgado.

Los alimentos están formados generalmente por moléculas demasiado grandes para que las paredes del intestino delgado puedan absorberlas.

Durante la digestión, el alimento sometido a la acción de los jugos digestivos se transforma en pequeñísimas partículas.

En los jugos digestivos, hay unas sustancias químicas, llamadas *enzimas*, que transforman los componentes básicos de los alimentos en sustancias aprovechables por el organismo.

Estos componentes básicos son los glúcidos o **hidratos de carbono**, los prótidos o **proteínas** y los lípidos o **grasas**.

Los hidratos de carbono, las proteínas y las grasas cumplen dos funciones esenciales:

- **Función energética.**
- **Función plástica.**

Pero además de hidratos de carbono, proteínas y grasas, necesitamos:

- **Sales minerales.**
- **Vitaminas.**
- **Agua.**

Hidratos de carbono y grasas: energía para vivir

Nuestro cuerpo consume energía para que cada órgano funcione, para que el corazón bombee sangre de forma ininterrumpida, o para que trabajen los músculos respiratorios o los músculos del aparato locomotor.

El organismo obtiene esa energía fundamentalmente de dos componentes básicos de los alimentos: los **hidratos de carbono** y las **grasas**.

Los hidratos de carbono

Los hidratos de carbono son la mayor fuente de energía, pues proporcionan aproximadamente la mitad de la que consume el cuerpo. Abundan en muchos alimentos, pero sobre todo en el pan, la pasta, el arroz, las patatas, y la fruta y la verdura fresca.

A través de la digestión, los hidratos de carbono de los alimentos se transforman en diversos tipos de azúcares, que finalmente el hígado transforma en *glucosa*. La glucosa pasa a la sangre y es distribuida por ésta a las células.

La glucosa que no es «quemada» por las células se transforma, en parte, en *glucógeno*, que se almacena en los músculos y en el hígado, y el resto se convierte en grasa.

Las grasas

Las grasas de los alimentos, ùna vez tratadas, son asborbidas por los *capilares linfáticos* del intestino delgado y de éstos pasa a la sangre, que las lleva a las células.

Cuando las necesidades de grasa del

ALIMENTOS RICOS EN HIDRATOS DE CARBONO	ALIMENTOS RICOS EN GRASAS
MIEL	LECHE
FRUTAS	QUESO
PAN	PRODUCTOS LÁCTEOS EN GENERAL
PASTAS	HUEVOS
ARROZ	FRUTOS SECOS
PATATAS	PESCADO AZUL
HORTALIZAS	ACEITES
	CARNES GRASAS

organismo están cubiertas, la que sobra se acumula bajo la piel, formando el llamado *tejido adiposo*.

Casi todos los alimentos contienen alguna cantidad de grasa, pero abunda sobre todo en el aceite, el embutido, los frutos secos, la mantequilla, la carne grasa y el pescado azul.

ALIMENTOS RICOS EN PROTEÍNAS

LEGUMBRES

CARNE E HÍGADO

LECHE Y DERIVADOS

PAN, CEREALES

FRUTOS SECOS

GUISANTES

ESPINACAS

ALCACHOFAS

LENTEJAS

Las sustancias que comemos o bebemos, sólo puede considerarse que son un alimento, cuando cumplen con una de estas dos funciones: proporcionar energía, o entrar a formar parte de la materia orgánica de nuestro cuerpo. En este último caso decimos que el alimento cumple una función plástica. Como verás inmediatamente, también necesitamos ingerir un cierto número de sustancias minerales.

Las proteínas y la función plástica

Las proteínas son los ladrillos con los que unos albañiles llamados *células* construyen el edificio de nuestro cuerpo.

Las células que fabrican los distintos tipos de tejidos corporales mueren y se regeneran de manera constante: cada día mueren más de un millón de células. El «material» utilizado para compensar estas pérdidas y para asegurar el crecimiento del cuerpo son las proteínas. Esta acción de las proteínas recibe el nombre de *función plástica*.

En nuestro organismo hay dos tipos principales de proteínas:

■ **Las proteínas fibrosas**, son, concretamente, las proteínas con funciones estructurales, las que forman los tejidos básicos del cuerpo, como la *actina* y la *miosina* en los músculos, la *queratina* en el cabello y las uñas, y el *colágeno* y la *elastina* en la piel, los ligamentos, los tendones y los huesos.

■ **Las proteínas globulares**, que se encuentran sobre todo en la sangre, formando la hemoglobina de los glóbulos rojos. Otras proteínas de la sangre intervienen en la formación de anticuerpos que defienden al organismo de infecciones o son imprescindibles en la coagulación sanguínea. Son, pues, proteínas que intervienen directamente en procesos metabólicos y que contribuyen a regular el funcionamiento del organismo.

Las proteínas están formadas básicamente por moléculas de unas sustancias, llamadas **aminoácidos**. Algunos aminoácidos pueden ser elaborados por el organismo; pero hay un grupo de aminoácidos, llamados **aminoácidos esenciales**, que el organismo no puede elaborar y que deben aportarse con los alimentos.

Estos aminoácidos son fundamentales para formar las proteínas básicas: en el adulto son ocho y en el niño y el adolescente, dos más —*arginina* y *histidina*—, que son imprescindibles en el crecimiento.

Los alimentos ricos en proteínas y que también contienen estos aminoácidos esenciales son la carne, el pescado, los huevos, la leche y las legumbres (judías, garbanzos y lentejas).

FLÚOR

POTASIO

AGUA

HARINA

CARNE

CALCIO

QUESO   LECHE

SODIO

CHOCOLATE

MAGNESIO

HIERRO

PESCADO

YODO

VERDURA

**ALIMENTOS Y SU
CONTENIDO EN MINERALES**

HUEVOS

MARISCO

Las sales minerales

Además de hidratos de carbono, grasas y proteínas, que son compuestos <u>orgánicos</u>, nuestro organismo necesita varios elementos *inorgánicos* que también proceden de los alimentos y que en el cuerpo se encuentran formando parte de *sales cristalizadas* y de *sales disueltas* en las células y en la sangre a las que se da el nombre genérico de sales minerales.

Los elementos más necesarios contenidos en estas sales minerales, son:

■ **El calcio.** Es esencial para la formación de los huesos, forma parte de los dientes e interviene en la contracción de los músculos.

La leche es un alimento muy rico en calcio y una combinación bien equilibrada de proteínas, hidratos de carbono, grasas y vitaminas A y B. También tienen calcio en abundancia los frutos

secos, las legumbres y la yema de huevo.

■ **El hierro.** Forma parte de la hemoglobina de los glóbulos rojos de la sangre.

Las legumbres, las carnes, los pescados, los mariscos y las vísceras son ricas en hierro.

■ **El sodio y el potasio.** Son necesarios para el buen funcionamiento del sistema nervioso. Contienen sodio la sal, la carne, el pescado, la leche y los huevos, y son ricos en potasio los cereales, las legumbres y los frutos secos.

■ **El magnesio.** Forma parte de varios enzimas, cuya misión, como sabes, es hacer asimilables las sustancias nutritivas de los alimentos. El cacao y los frutos secos contienen magnesio.

■ **El flúor.** Hay flúor en los huesos y en los dientes, en los que tiene un *efecto protector* contra la caries.

■ **El yodo.** Interviene en el funcionamiento de la glándula tiroides, cuyas hormonas son imprescindibles para el crecimiento. Las algas y el pescado contienen yodo.

¿Sabías que...

...las vitaminas se descubrieron a causa de una enfermedad que afectaba a los marineros?

En los tiempos de la navegación a vela, las travesías solían durar varios meses. Por ello, los veleros llevaban sus bodegas bien provistas de víveres: galletas, carne salada, pescado seco, alimentos todos ellos que se conservaban fácilmente.

No faltaba pues alimento para la tripulación durante las largas travesías. Sin embargo, los marineros enfermaban de escorbuto, una misteriosa enfermedad que dejaba de aparecer en cuanto los marineros llegaban a puerto y comían cítricos.

Esta constatación, hizo que, en 1795, la marina británica comenzara a suministrar limones a sus tripulaciones. A partir de entonces ninguno de sus marineros enfermó de escorbuto.

La conclusión era lógica: en los cítricos debía de haber una sustancia que faltaba en los otros alimentos y que era eficaz contra el escorbuto. A principios del siglo XX se le dio a esta sustancia el nombre de vitamina.

Posteriormente se descubrieron otras vitaminas que el organismo necesita para realizar correctamente sus funciones.

Desde finales del siglo XVI, se tenía la certeza de que los limones y en general los frutos ácidos, contenían una sustancia que evitaba la aparición del escorbuto. Esta sustancia, sin embargo, fue absolutamente desconocida hasta bien entrado el siglo XX. Es el ácido ascórbico o vitamina C. Sin embargo, la verdadera historia de las vitaminas empieza con los estudios del Dr. Eijkman (Nobel de medicina 1929), sobre la influencia de la cáscara del arroz en la desaparición y prevención de una enfermedad nerviosa llamada beriberi.

*Más adelante (1911), Casimiro Funk consiguió aislar una sustancia de la cutícula del arroz, demostrando que era la que curaba el beriberi. La llamó vitamina por considerar que se trataba de una **amina** (una sustancia orgánica) realmente **vital**. Actualmente se la identifica como vitamina B_1.*

Las imprescindibles vitaminas

Las vitaminas no tienen un valor nutritivo como poseen los hidratos de carbono, las grasas y las proteínas; son sustancias contenidas en los alimentos, tanto de origen animal como vegetal, aunque son más abundantes en éstos. Aunque son imprescindibles, nuestro cuerpo las necesita en pequeñas cantidades.

Nuestro organismo no puede prescindir de ellas, porque:

• Las vitaminas actúan como reguladoras de muchas funciones del organismo. Podrían compararse con el lubricante que necesitan los engranajes de una máquina para que ésta se ponga en movimiento.

• Las vitaminas intervienen en la conversión en energía de los componentes nutritivos básicos de los alimentos.

• Las vitaminas nos protegen de enfermedades e infecciones. El organismo no las produce, pero sí las almacena y consume las reservas que posee. La *avitaminosis*, es decir, la carencia de alguna vitamina, puede provocar graves enfermedades, como el escorbuto, el raquitismo, etc.

Las vitaminas que hoy se conocen son más de veinte, pero sin duda se descubrirán otras. A medida que eran descubiertas, a cada nueva vitamina se le asignaba una letra del alfabeto: A, B, C, D; después se descubrió que muchas de ellas eran, en realidad, mezcla de otras vitaminas ya descubiertas, y las letras se asignaron a grupos de vitaminas; así el grupo B comprende muchas: B_1, B_2, B_3, B_6... hasta B_{12}.

Las vitaminas abundan en los alimentos frescos y mucho más en las frutas y las verduras; pero la cocción prolongada de algunos alimentos y la larga conservación destruyen buena parte de su contenido vitamínico.

Las principales vitaminas son:

■ **Vitamina A.** No se halla a menudo en los vegetales como vitamina, sino que nuestro organismo la elabora a partir de unas sustancias colorantes, amarillas y rojas, llamadas *carotenoides*, y la almacena en el hígado.

Se encuentra en el aceite de hígado de bacalao, la nata, la yema de huevo, las zanahorias, el tomate, las espinacas, etc.

La vitamina A protege la piel y las mucosas, sobre todo las del ojo y las de las vías respiratorias, e interviene en la formación de los huesos.

■ **Vitamina B.** Se encuentra en la levadura de cerveza, los cacahuetes, los huevos, los tomates, los cereales, etc. El grupo de vitaminas B cumple diversas funciones; por ejemplo, la B_2 es necesaria para el crecimiento y la B_{12} combate la anemia.

■ **Vitamina C.** Se halla en el limón, la naranja y en la fruta y la verdura frescas en general. Protege de enfermedades infecciosas, como la gripe y el resfriado. Su carencia provoca el escorbuto.

■ **Vitamina D.** Se encuentra en el aceite de hígado de bacalao y la yema de huevo. Es una formidable calcificadora, es decir, fija las sales de calcio necesarias para la construcción de los huesos. Su carencia provoca el raquitismo.

■ **Vitamina K.** No es una sola vitamina, sino que se trata de un grupo de varias vitaminas. Se halla sobre todo en el hígado de bacalao y vegetales. Además, en el hombre, es sintetizada por las bacterias intestinales del colon. Favorece la coagulación de la sangre.

VITA-MINAS	FUNCIONES	EFECTOS DE SU DEFICIENCIA	FUENTES ALIMENTICIAS	
A	Aumenta la resistencia del organismo. Mantiene el buen estado de los tejidos.	Sequedad y descamación de la piel. Ceguera nocturna, fotofobia.	Tomates, zanahorias, queso, huevos, aceite de hígado de bacalao.	
B_1	Favorece la transmisión del impulso nervioso y el buen funcionamiento del aparato digestivo.	Beriberi, transtornos del sistema nervioso. Debilidad muscular, palpitaciones.	Guisantes, carne de cerdo, lentejas, pan integral...	
B_2	Aumenta la resistencia del organismo. Interviene en el metabolismo de las proteínas e hidratos de carbono.	Lesiones en las mucosas. Conjuntivitis. Disminución de la agudeza visual.	Vegetales verdes, huevos, leche, aguacates, salvado...	
B_5	Regula el metabolismo de las grasas e hidratos de carbono.	Retardo del crecimiento, ardor de pies, poca resistencia a las infecciones.	Hígado y riñón de ternera, levadura, guisantes, cacahuetes.	
B_6	Interviene en el metabolismo de las grasas y los ácidos.	Dermatitis, anemias, lesiones nerviosas.	Pescado, legumbres, hígado, carnes, levadura de cerveza.	
B_{12}	Es fundamental para el crecimiento de los jóvenes. Es antianémica.	Anemia perniciosa, agotamiento y debilidad general, lesiones nerviosas.	Leche de vaca, queso, hígado, huevos, ostras.	
C	Activa el crecimiento y la reparación de los tejidos. Favorece la inmunidad. Es antitóxica.	Escorbuto, cansancio y fatiga precoz. Alteraciones óseas, nerviosismo...	Fresas, grosellas negras, naranja, limón, tomates, pimientos.	
D	Contribuye a la fijación del calcio. Regula la osificación. Aumenta la resistencia a las infecciones.	Raquitismo. Osteomalacia o raquitismo en los adultos	Aceite de hígado de bacalao, yema de huevo, crema de leche.	
K	Interviene en el mecanismo regulador de la coagulación de la sangre.	Aparecen hemorrágias por las causas más insignificantes.	Espinacas, col, coliflor, tomate, zanahoria...	

El agua, fuente de vida

El agua es muy abundante en la naturaleza y constituye una parte muy importante del organismo de todos los seres vivos.

En el cuerpo humano, representa entre un 60 y un 70 % del peso total.

El agua es imprescindible en nuestro organismo: ni la respiración celular ni la asimilación por parte de las células de las sustancias nutritivas de los alimentos pueden llevarse a cabo o se realizan de modo deficiente cuando las necesidades de agua del organismo no están cubiertas.

El agua contribuye también a la absorción de los alimentos en el intestino, transporta diluidos en la sangre los hidratos de carbono, las grasas, las proteínas, las sales minerales y las vitaminas de los alimentos y expulsa al exterior con la orina y el sudor algunos productos de desecho.

Dada la necesidad que nuestro organismo tiene de agua para realizar la mayor parte de las funciones vitales, no es extraño que la sed sea un estímulo más fuerte que la sensación de hambre.

El agua del cuerpo se pierde de cuatro modos distintos: a través del riñón con la orina, a través del tubo digestivo con las heces, a través de piel con el sudor y a través del aparato respiratorio, en forma de vapor de agua, con el aire espirado.

Debemos compensar estas pérdidas bebiendo abundante líquido, ya sea en forma de agua, zumos, leche, y también ingiriendo alimentos sólidos que contengan un alto porcentaje de agua. Podemos afirmar que todos los alimentos contienen agua.

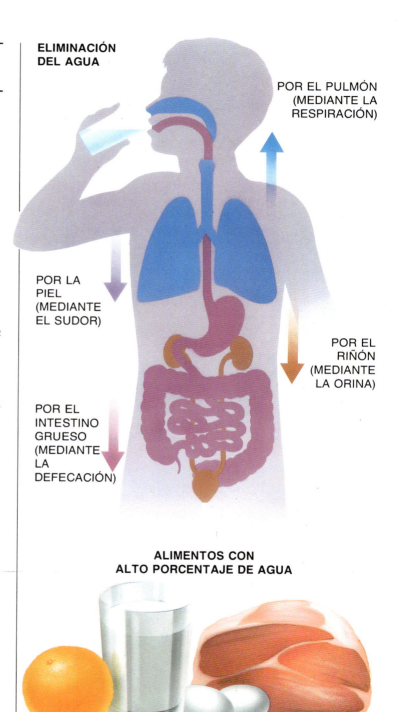

ELIMINACIÓN DEL AGUA

POR EL PULMÓN (MEDIANTE LA RESPIRACIÓN)

POR LA PIEL (MEDIANTE EL SUDOR)

POR EL RIÑÓN (MEDIANTE LA ORINA)

POR EL INTESTINO GRUESO (MEDIANTE LA DEFECACIÓN)

ALIMENTOS CON ALTO PORCENTAJE DE AGUA

¿Sabías que...

...existen diferentes métodos de conservación de los alimentos?

Las técnicas empleadas en las industrias dedicadas a la conservación de los alimentos permiten que podamos consumir alimentos producidos a miles de kilómetros de distancia o comer, por ejemplo, frutas y verduras fuera de temporada.

Los métodos de conservación más empleados son:

■ **Las conservas.** Se añaden conservantes al producto y se introduce en un envase hermético que se cierra al vacío.

■ **La congelación.** Es un método muy utilizado, que consiste en *ultracongelar* los alimentos a temperaturas muy bajas.

Se congelan productos muy diversos, como la carne, la fruta, las verduras y el pescado, que suele congelarse en barcos frigoríficos, en alta mar.

■ **La liofilización.** Es una técnica que consiste en conservar el alimento *deshidratado*, es decir, quitándole el agua que contiene. Este procedimiento suele emplearse con la leche, las patatas, la fruta y el café.

Cualquiera que sea el método de conservación empleado, en las etiquetas de los envases deben figurar siempre los datos principales del producto: conservantes y estabilizantes utilizados, tiempos de descongelación, fecha de caducidad, etc. Es conveniente que te acostumbres a leer y entender estas etiquetas para defender tus *derechos de consumidor*.

CONSERVA   CONGELACIÓN   LIOFILIZACIÓN

Las fases de la digestión

El conjunto de órganos cuya función correlativa consiste en convertir los hidratos de carbono, las grasas y las proteínas de los alimentos en sustancias aprovechables por el organismo es el **aparato digestivo**, llamado también *tubo digestivo*, porque es, en realidad, un tubo de casi once metros de longitud, a lo largo del cual, el alimento sufre varias transformaciones (es digerido) a través de una **fase mecánica** y una **fase química**.

■ **La fase mecánica** consiste en la reducción del alimento que ingerimos en partículas lo bastante pequeñas para que lo podamos tragar fácilmente y para que pueda «viajar» por el tubo digestivo.

Como ya sabes, esta fase mecánica tiene lugar básicamente en la boca. Los dientes cortan, desgarran y trituran los alimentos, con la ayuda de la lengua, que reparte el bocado bajo toda la dentadura, para que todos los dientes intervengan en la masticación.

■ **La fase química** de la digestión, consiste en la transformación de los alimentos en sustancias asimilables por el organismo.

Esta transformación se realiza por la acción de varios jugos, llamados jugos digestivos, segregados por diversas glándulas, situadas unas en la boca y el estómago, y otras (el hígado y el páncreas) situadas fuera del tubo digestivo, pero conectadas a él a través de diversos conductos.

Los órganos del tubo digestivo, son: la boca, el esófago, el estómago, el intestino delgado, el intestino grueso y el recto.

Esquema de nuestro aparato digestivo:
1. Glándulas salivares.
2. Boca. 3. Epiglotis.
4. Esófago. 5. Hígado.
6. Estómago. 7. Vesícula biliar.
8. Páncreas. 9. Intestino delgado. 10. Intestino grueso.
11. Apéndice. 12. Intestino recto.

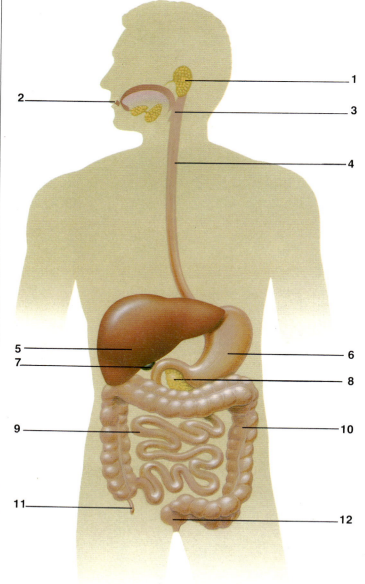

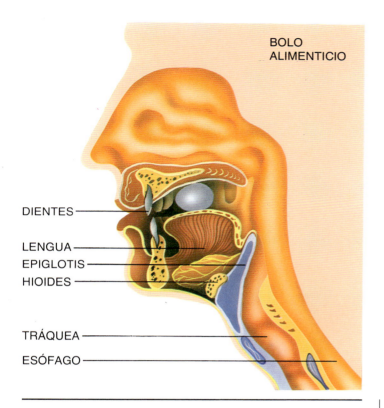

BOLO
ALIMENTICIO

DIENTES

LENGUA
EPIGLOTIS
HIOIDES

TRÁQUEA

ESÓFAGO

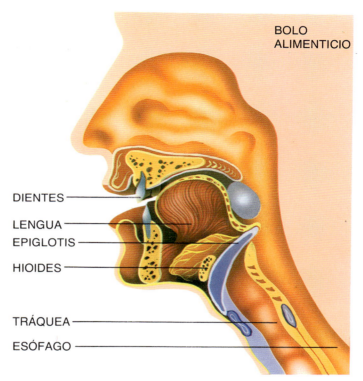

BOLO
ALIMENTICIO

DIENTES

LENGUA
EPIGLOTIS

HIOIDES

TRÁQUEA

ESÓFAGO

La acción de tragar

Sigamos ahora el apasionante viaje de un bocado por el interior del tubo digestivo.

Los dientes mastican los alimentos y la lengua los mezcla con saliva para formar el *bolo alimenticio*. Se realiza así la *fase mecánica* de la masticación y comienza la *fase química*, con la acción de una enzima contenida en la saliva.

Esta enzima, llamada *tialina*, reduce las moléculas grandes de almidón de los hidratos de carbono y las transforma en azúcares, que son más fácilmente asimilables.

Una vez que los alimentos han sido bien masticados y mezclados con la saliva, el bolo alimenticio está a punto para ser tragado.

La acción de tragar empieza cuando la lengua golpea el paladar o parte superior de la boca y empuja el bolo alimenticio hacia la faringe.

En nuestro cuerpo hay varias zonas comunes a órganos con distintas funciones. Una de ellas es la confluencia entre la nariz, la boca, la faringe, la laringe y el esófago, que tienen casi siempre abiertas sus portezuelas comunes. Todo está previsto, sin embargo, para evitar que el bolo alimenticio siga un camino equivocado.

El paladar termina en una membrana muscular, llamada *velo del paladar*. Cuando el bolo alimenticio es impulsado por la lengua hacia la faringe, el velo del paladar cierra la comunicación de la faringe con las fosas nasales e impide que el alimento vaya hacia arriba, hacia la nariz.

El esófago, un conducto muy activo

Superado con éxito el cruce entre la faringe y las fosas nasales, el bocado, convertido en bolo alimenticio, no tiene otro camino que descender por la faringe hacia la entrada del esófago.

Pero aquí se puede producir otro peligroso «cambio de dirección»: el bolo alimenticio puede entrar en las vías respiratorias, a través de una abertura en la faringe, que da paso a la laringe. Es una «confusión» frecuente, que las vías respiratorias resuelven con violentos golpes de tos.

Lo normal, sin embargo, es que, en el momento en que tragamos, se cierre la *epiglotis*, la válvula que, como ya sabes, cubre el paso hacia la laringe.

Una vez que el bolo alimenticio ha evitado todos los conductos que no le corresponden y se encuentra en la boca del esófago, los músculos que forman sus paredes internas inician una serie de contracciones, que reciben el nombre de movimientos peristálticos.

El esófago no es, por lo tanto, un simple conducto de unión entre la boca y el estómago; tiene un papel activo para empujar el bolo alimenticio. Las contracciones son tan potentes que funcionan incluso en contra de la ley de la gravedad, lo que también nos permite tragar estando boca abajo.

El trabajo de las contracciones musculares para empujar el bolo alimenticio hacia el estómago es facilitado además por una sustancia viscosa que segregan las paredes del esófago.

El esófago es uno de los tramos más cortos del tubo digestivo; mide unos 25 cm, y si bien el bolo alimenticio lo recorre en pocos segundos, cuando comemos demasiado deprisa no le damos tiempo, entre bocado y bocado, a efectuar todo el recorrido, provocando una breve retención en la «boca» del estómago.

Acto seguido, los músculos de la abertura superior del estómago se relajan y el bolo alimenticio penetra en su interior.

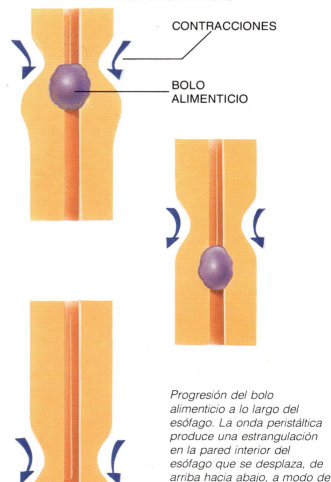

ONDAS PERISTÁLTICAS

CONTRACCIONES

BOLO ALIMENTICIO

Progresión del bolo alimenticio a lo largo del esófago. La onda peristáltica produce una estrangulación en la pared interior del esófago que se desplaza, de arriba hacia abajo, a modo de una ondulación que empuja la masa alimenticia o bolo.

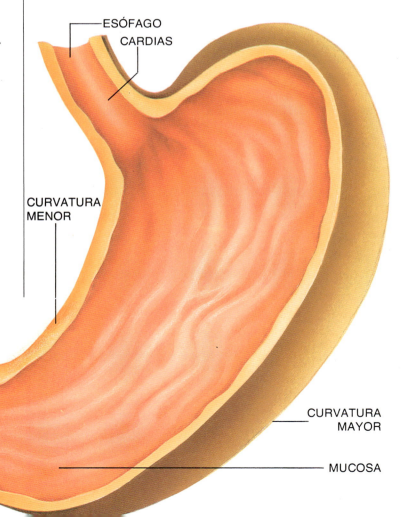

Cómo es el estómago

¿Dónde está situado y cómo es el estómago?

Se halla situado en la cavidad abdominal, la parte del tronco separada del tórax por el músculo diafragma. Es una bolsa, cuya forma recuerda la de una J o una L invertida, de unos 20 cm de altura en estado de reposo, y con dos aberturas, una en cada extremo.

La abertura superior está siempre en contracción tónica o continuada; se llama **cardias** y comunica el esófago con el estómago.

La abertura inferior se denomina **píloro** y comunica el estómago con el intestino delgado. El píloro permanece normalmente cerrado; sólo se abre cuando el bolo alimenticio ha sido mezclado con los jugos gástricos y transformado en sustancias que el intestino delgado ya puede admitir.

La pared del estómago está formada por tres capas principales:

■ **La capa externa.** Llamada *serosa*, es una membrana que recubre todo el estómago.

■ **La capa intermedia o muscular.** Está formada por dos capas de músculos lisos involuntarios, que mediante los **movimientos peristálticos**, mezclan el bolo alimenticio y lo hacen avanzar hacia el píloro.

■ **La capa interna o mucosa.** Recubre la pared interior del estómago. Es una membrana mucosa, que forma numerosos pliegues, en los que se hallan las glándulas que segregan el **jugo gástrico**.

La acción de los jugos gástricos sobre el bolo alimenticio, es decir, la fase de la digestión que se realiza en el estómago, recibe el nombre de **digestión gástrica**.

ESÓFAGO

CARDIAS

CURVATURA MENOR

SECCIÓN DEL ESTÓMAGO

PÍLORO

CURVATURA MAYOR

MUCOSA

Cómo funciona el estómago

En el estómago, se sigue realizando la transformación del bolo alimenticio antes de que siga su viaje por el tubo digestivo.

Fase mecánica

En el estómago continúa la fase mecánica de la digestión iniciada por los dientes en la boca. Mediante movimientos peristálticos de la capa muscular del estómago, el bolo alimenticio se reduce aún más a una masa uniforme.

Fase química

En el estómago, continúa «a mayor escala» la *fase química* de la digestión, iniciada por la saliva en la boca.

En la capa interna del estómago o *mucosa*, hay más de cinco millones de glándulas, que segregan el jugo gástrico. Este jugo está compuesto básicamente por **ácido clorhídrico** y por dos enzimas: la **pepsina** y la **lipasa**.

Cada enzima está preparada para actuar sólo en presencia de alguno de los componentes básicos de los alimentos:

■ **Los hidratos de carbono**, que comenzaron a ser digeridos en la boca por la *tialina*, una de las enzimas de la saliva, pasan por el estómago sin experimentar más transformaciones.

■ **Las proteínas** presentes en el bolo alimenticio empiezan a ser transformadas en *aminoácidos*, por la acción de la pepsina.

■ **Las grasas** experimentan una primera transformación en *ácidos grasos* por la acción muy poco importante de la lipasa.

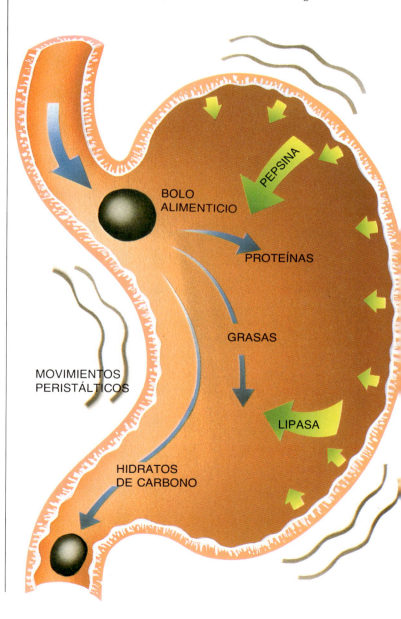

Acción del jugo gástrico sobre los alimentos.
Los hidratos de carbono no experimentan ningún cambio. La pepsina actúa sobre las proteínas, que empiezan a disociarse en aminoácidos, y la lipasa inicia la transformación de las grasas en ácidos grasos. Ambas transformaciones se completarán durante la digestión intestinal, como verás en el tomo siguiente.

BOLO ALIMENTICIO

PEPSINA

PROTEÍNAS

GRASAS

MOVIMIENTOS PERISTÁLTICOS

LIPASA

HIDRATOS DE CARBONO

Marcos tiene un buen apetito. Pero, por lo que parece, también goza de un envidiable sentido común, que le lleva a aceptar los buenos consejos de su médico de cabecera. Marcos está creciendo y para ayudarle le ha prescrito una dieta equilibrada en la que figuran todas las sustancias nutritivas básicas. Proteínas, grasas, hidratos de carbono, vitaminas y sales minerales, en las cantidades precisas, darán al chaval toda la energía que necesita y contribuirán al correcto desarrollo de todo su organismo.

Almacén de comida

La comida se va asentando por capas en el orden en que la ingerimos, de modo que lo comido en primer lugar se sitúa junto a las paredes del estómago, donde se inicia la mezcla con los jugos gástricos.

A medida que el bolo alimenticio se convierte en una pasta parecida a una papilla, se abre el píloro para dejar el paso libre hacia el intestino delgado.

Pero el píloro es una puerta muy selectiva que retiene las masas del bolo que no siendo todavía suficientemente pastosas, han de permanecer en el estómago el tiempo necesario para alcanzar el grado de pastosidad que les permita pasar por la estrecha salida que controla el esfínter del píloro.

El estómago desempeña pues un papel muy activo. Los músculos de la zona superior no cesan de empujar el bolo alimenticio. Mediante una serie de fuertes contracciones lo van expulsando a rachas hacia la etapa siguiente de la digestión en el intestino delgado.

Estas contracciones se suceden con una frecuencia aproximada de tres por minuto, durante y después de cada comida, y continúan hasta que el estómago queda vacío. Para una comida normal el vaciado total del estómago puede requerir un tiempo comprendido entre tres y cuatro horas.

El tiempo de vaciado del estómago depende, sin embargo, de la cantidad y del tipo de alimentos ingeridos: los líquidos pasan en seguida a través del píloro y las grasas, en cambio, tienden a quedar flotando en la parte superior del contenido estomacal, siendo los últimos alimentos que abandonan el estómago. Después de un atracón de manjares grasos, la pesadez de estómago está garantizada.

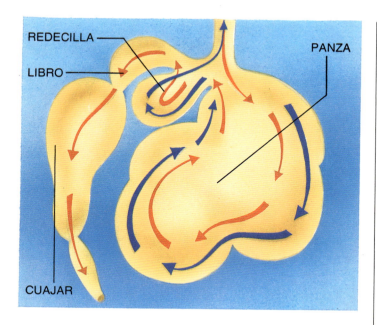

REDECILLA

LIBRO

PANZA

CUAJAR

Nunca verás a un rumiante comer otra cosa que no sea hierba. Sin embargo, en la panza de su estómago se desarrolla una cantidad tan enorme de bacterias y animales microscópicos, que los rumiantes resultan ser auténticos devoradores de materia animal. Miles de millones de animales microscópicos pasan al cuajar junto con el alimento rumiado y allí son también digeridos. Es gracias a esta fauna microbiana de su panza que los rumiantes pueden convertir la celulosa de los vegetales en azúcares asimilables.

¿Sabías que...

...los rumiantes digieren la hierba dos veces?

El estómago de los rumiantes, como las ovejas, los búfalos o las jirafas, es uno de los más complicados y el único capaz de transformar la celulosa de los vegetales en azúcar. Consta de cuatro partes o cavidades, llamadas *panza*, *redecilla*, *libro* y *cuajar*.

El funcionamiento de este aparato digestivo es muy curioso. Los rumiantes consumen grandes cantidades de hierba, que masticada una sola vez no puede ser suficientemente triturada.

Esta hierba, que ingieren y tragan deprisa, pasa primero a la *panza*, donde se ablanda con diversos jugos, y luego a un pequeño apéndice llamado *redecilla*.

Desde aquí, la pasta en que se ha convertido el alimento es *regurgitada*, es decir, vuelve a la boca, para ser masticada de nuevo.

Después de la segunda masticación o rumia, que el animal realiza con toda la calma del mundo, triturando bien el alimento, éste vuelve a descender por el tubo digestivo y entra en el *libro*, donde se absorbe el agua que contiene.

Esta laboriosa digestión se completa en el *cuajar*, una cavidad de su estómago que produce abundantes jugos digestivos.

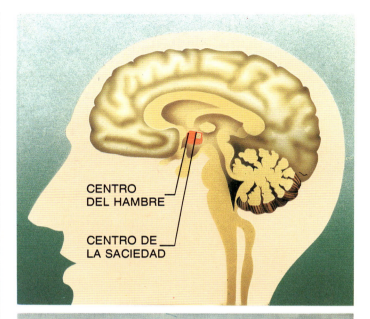

La central de mando

El deseo de comer está regulado por el cerebro, desde dos centrales de mando, llamadas *centro del hambre* y *centro de la saciedad*.

Cuando se estimula el centro del hambre, se abre el apetito; mientras que si el estímulo llega al centro de la saciedad, disminuye el deseo de comer.

El estómago es uno de los órganos que envía una información más precisa a los centros del hambre y de la saciedad, a través del sistema nervioso.

Cuando permanece mucho tiempo sin recibir alimento, los centros reguladores «ordenan» violentas contracciones de los músculos que forman las paredes del estómago. Son las *contracciones del hambre*. De este modo, el estómago manifiesta la urgencia de recibir alimento cuando el organismo lo necesita. En otras palabras; tenemos hambre.

En la preparación del tubo digestivo para la digestión de un alimento, intervienen otros órganos y sentidos, como la vista, el olfato o el gusto, que, ante un alimento apetitoso, informan a los centros reguladores para que estimulen la secreción de jugos digestivos.

Cuando el estómago está lleno informa al centro de la saciedad para que éste ejerza su acción reguladora del apetito.

La dependencia que el estómago tiene respecto del sistema nervioso lo hace muy sensible a los estados de ánimo.

Cuando estamos muy nerviosos o irritados, la actividad estomacal aumenta; por el contrario, en estados de depresión, la actividad del estómago puede disminuir.

CENTRO DEL HAMBRE

CENTRO DE LA SACIEDAD

Después de algunas horas de clase, Bernardo empieza a pensar que debe «cargar baterías». Su centro del hambre le está advirtiendo de las quejas que recibe de su pobre estómago vacío.

Más vale prevenir que curar

La higiene de la alimentación

El trabajo que realiza tu aparato digestivo es largo y se prolonga incluso mientras duermes: cuando te levantas por la mañana, los alimentos que ingeriste la noche anterior están todavía en tus intestinos.

Aunque la *digestión gástrica* suele durar entre cuatro y cinco horas, el proceso completo de la digestión en los intestinos y la expulsión de los residuos por el recto, puede durar unas veinte horas, lo que significa que en nuestro tubo digestivo se está efectuando la digestión de algún alimento casi de manera permanente.

La cantidad y la forma de ingerir los alimentos es muy importante para el buen funcionamiento del aparato digestivo.

• Come con moderación. Nuestro organismo posee un extraordinario mecanismo para hacernos saber si tiene necesidad de alimento: el hambre. Cuando tenemos hambre, en el tubo digestivo se segregan jugos abundantes, que preparan la digestión. Pero si no tenemos apetito, los jugos son escasos y la digestión es más lenta.

• Mastica correctamente. Ahora que has visto una parte del viaje del bolo alimenticio, comprenderás mejor la necesidad de que esté bien triturado y amasado con la saliva.

• Cepíllate los dientes después de cada comida.

• No es conveniente que realices ejercicios físicos intensos después de comer: la digestión requiere un gran consumo de energía.

• No leas ni realices en la mesa otras actividades que no estén relacionadas con el acto de comer.

La indigestión o dispepsia

La digestión es el proceso de transformación de los alimentos en sustancias asimilables por el organismo; por lo tanto, la palabra *indigestión* (o la palabra *dispepsia*) indica una anormalidad en este proceso. Una dispepsia no es una enfermedad concreta, sino que se refiere a una gran variedad de molestias que experimentamos en relación con la digestión de los alimentos.

Pero las dispepsias frecuentes son un aviso de que algo no funciona bien en el tubo digestivo y pueden ser el síntoma de una enfermedad grave, como una gastritis o una úlcera.

Generalmente la indigestión es sólo una reacción de protesta del tubo digestivo y puede manifestarse con una sensación de pesadez en la zona del abdomen, ardores de estómago, náuseas o vómitos.

Éstas son las causas de dispepsia más frecuentes:
• Ingerir alimentos en mal estado o perjudiciales para el organismo, como setas venenosas.
• Comer bajo el efecto de ansiedad o de preocupaciones.
• No comer a horas fijas. Si el estómago no recibe alimentos con regularidad, las digestiones no serán normales.
• Comer alimentos demasiado grasos. Una comida abundante en grasas exige más tiempo para su digestión y, a veces, los jugos gástricos son insuficientes.
• Comer alimentos con demasiadas especias. Las especias obligan a segregar mayor cantidad de jugos digestivos.
• Abusar de las bebidas excitantes, como el té o el café.

NO COMER A HORAS FIJAS   BEBIDAS EXCITANTES   ANSIEDAD, PREOCUPACIONES

ALIMENTOS PERJUDICIALES   ALIMENTOS MUY GRASOS   DEMASIADAS ESPECIAS

*¡Pobre Marcos!
Aquí lo tenéis comprobando, muy a disgusto, que su aparato digestivo tiene un punto flaco: es excesivamente sensible al mareo. Su estómago está enviando continuos estímulos al centro del vómito, y los resultados no se harán esperar.*

Molestias y enfermedades más frecuentes del estómago

¿Por qué se forman gases?

Cada vez que tragamos saliva, una bebida o un alimento, es absolutamente normal que también nos traguemos una cierta cantidad de aire.

Pero algunas personas tienen tendencia a tragar más aire de lo normal. Éste se acumula en la parte superior del estómago y les produce una molesta sensación de pesadez. Según cual sea el conducto de salida de este exceso de aire, se producirá la *flatulencia* o el *eructo*.

Si se forman con frecuencia gases en el estómago, se deben evitar las bebidas gaseosas, mascar chicle o comer demasiado deprisa y sin masticar.

¿A qué se deben los vómitos?

El vómito está regulado por el cerebro, a través del llamado *centro del vómito*. Éste puede ser estimulado por múltiples causas: la visión de algo repugnante, un olor nauseabundo, un sabor desagradable, el mareo (al viajar en un coche, un barco, etc.), o por impulsos nerviosos procedentes del esófago o del estómago.

Entre las causas más comunes de que estas dos partes del tubo digestivo envíen estímulos al centro del vómito, se encuentra el exceso de comida contenido en el estómago. Pero cuando los vómitos son frecuentes, pueden ser el síntoma de una enfermedad, como una gastritis o una úlcera.

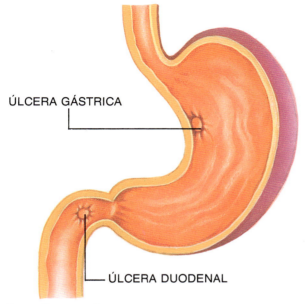

ÚLCERA GÁSTRICA

ÚLCERA DUODENAL

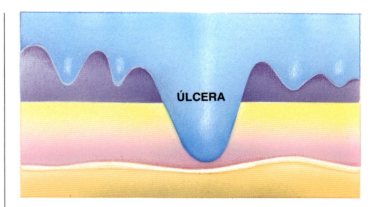

ÚLCERA

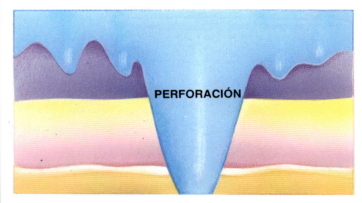

PERFORACIÓN

El ardor de estómago

Como ya sabes, el ácido clorhídrico es un componente de los jugos gástricos esencial para la digestión de los alimentos.

Pero cuando la cantidad de ácido clorhídrico aumenta o cuando pasa al esófago, se produce una sensación de ardor en el estómago o en el abdomen, que también se conoce con el nombre de **acidez**.

Algunas personas son propensas a sufrir acidez; se dice que son *hiperclorhídricas*, porque tienen tendencia a fabricar un *exceso* de ácido clorhídrico.

En general, los casos leves de acidez se pueden evitar prescindiendo del alcohol, el tabaco, el café y las comidas picantes o muy grasas, no acostándose en seguida después de cenar y haciendo ejercicio físico.

Si el exceso de ácido clorhídrico inflama la mucos que recubre las paredes del estómago, puede originarse una **gastritis**, una enfermedad que puede ser grave.

La úlcera de estómago

La mucosa que recubre las paredes del estómago no es atacada normalmente por la acción destructiva del ácido clorhídrico.

Pero cuando la mucosa ha sido debilitada por el abuso de bebidas alcohólicas o por la tensión nerviosa, entre otras causas, el ácido clorhídrico puede producir en ella una lesión o úlcera, que si es grave, puede llegar a provocar hemorragias, pues el estómago está irrigado por numerosos vasos sanguíneos.

La úlcera será **gástrica** cuando afecte a la mucosa del estómago, o **duodenal**, cuando lesione las paredes del duodeno, el primer tramo del intestino delgado.

Los intestinos y la absorción del alimento

Después del estómago, el intestino delgado

En el píloro, a la salida del estómago, comienza la última parte del tubo digestivo: los intestinos, que son dos, el **intestino delgado** y el **intestino grueso**.

El intestino delgado es uno de los conductos más largos del cuerpo: mide entre 6 y 7 m de longitud y unos 3 cm de diámetro. Se divide en tres partes: *duodeno, yeyuno e íleon.*

■ **El duodeno.** Es el primer tramo del intestino delgado, situado a la salida del estómago.

Su interior está recubierto por una membrana mucosa, que es lisa a la salida del estómago, pero que se va cubriendo de numerosos pliegues.

En el duodeno vierten diversos jugos dos importantes glándulas: el **hígado** y el **páncreas**. Del hígado, llega al duodeno un jugo digestivo de color verde: la *bilis.* Y del páncreas, el *jugo pancreático.*

■ **El yeyuno.** Es la parte del intestino delgado situada a continuación del duodeno. No tiene una separación exacta con el tramo siguiente, el íleon, y se considera que los dos tramos forman el resto del intestino delgado.

■ **El íleon.** Se encuentra a continuación del

yeyuno. El yeyuno y el íleon forman la parte de mayor longitud del intestino delgado, arrollada como una larga madeja.

Como podrás ver en las próximas páginas, en esta parte del intestino delgado se segregan otros enzimas que completan la digestión y se produce la absorción de las sustancias nutritivas de los alimentos, a través de las vellosidades intestinales.

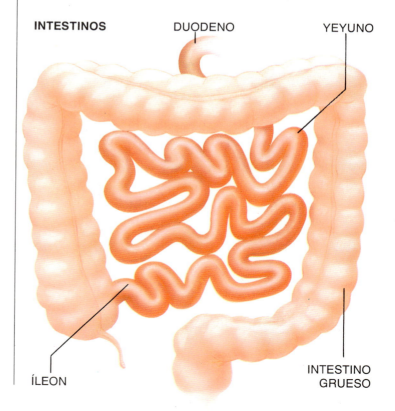

INTESTINOS DUODENO YEYUNO

ÍLEON INTESTINO GRUESO

Qué sucede en el intestino delgado

Como ya sabes, el estómago sólo deja pasar el bolo alimenticio cuando está convertido en una masa parecida a una papilla. Cuando llega el momento, el esfínter que cierra la abertura del píloro se abre y el bolo alimenticio entra en el duodeno.

Recuerda que las grasas, las proteínas y las sales minerales han comenzado a ser transformadas por la acción de los jugos gástricos en ácidos grasos y en aminoácidos, mientras que los hidratos de carbono han pasado por el estómago sin experimentar ningún cambio.

Durante la **digestión intestinal**, los componentes básicos de los alimentos serán sometidos a la acción del **jugo intestinal**, también llamado *jugo entérico*, que los reducirá a sustancias todavía más sencillas.

Diversas encimas del jugo intestinal, actúan sobre los hidratos de carbono y transforman sus moléculas en azúcares que, como la *glucosa*, la *galactosa* y la *fructosa*, pueden ser más fácilmente asimiladas por el organismo.

La enzima **lipasa**, que había comenzado en el estómago su trabajo sobre las grasas, lo continúa en el intestino delgado.

Además, otras dos enzimas del jugo intestinal, la **tripsina** y la **quimotripsina**, actúan sobre las proteínas para continuar su transformación en aminoácidos.

En la digestión intestinal, intervienen también la **bilis**, segregada por el hígado para emulsionar las grasas, y el **jugo pancreático**, fabricado en el páncreas.

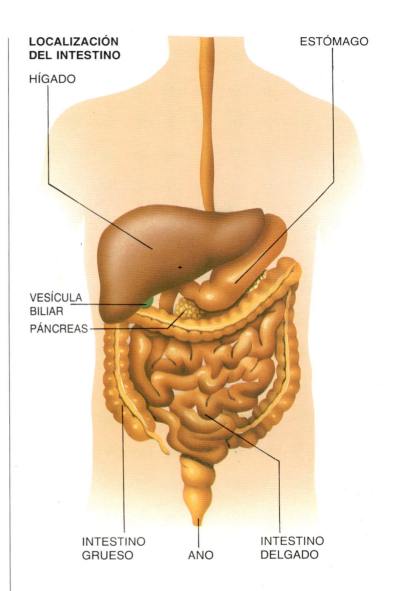

LOCALIZACIÓN DEL INTESTINO

HÍGADO

ESTÓMAGO

VESÍCULA BILIAR

PÁNCREAS

INTESTINO GRUESO

ANO

INTESTINO DELGADO

Ésta es una representación un tanto simplificada del aparato digestivo del hombre. Observa lo que hemos dicho: se trata de un tubo continuo, muy irregular, que empieza en la boca y termina en el ano. Una serie de glándulas situadas en distintas partes de dicho tubo, van modificando la composición de los alimentos. El páncreas y el hígado, lo ves perfectamente, son glándulas externas al tubo digestivo. Sin embargo, juegan un papel muy importante en el proceso de la digestión.

El hígado,
una glándula vital

El hígado es la gándula más grande del cuerpo: mide cerca de 20 cm de longitud y pesa aproximadamente 1,5 kg.

Si apoyas una mano en el lado derecho del abdomen, un poco por encima de la cintura, estarás apoyando la mano sobre el lugar en que se encuentra el hígado, un órgano que cumple importantes funciones y que es absolutamente necesario para vivir.

Algunas personas pueden llevar una vida relativamente normal con un pulmón, un riñón o con una parte menos de intestino; pero si el hígado deja de funcionar, sobreviene la muerte antes de veinticuatro horas.

El hígado es uno de los órganos del cuerpo que desempeña un mayor número de funciones.

Entre ellas, filtra y purifica la sangre, eliminando muchas sustancias tóxicas, y almacena en forma de *glucógeno* la glucosa en la que se han transformado algunos alimentos, durante la digestión; el glucógeno es una reserva de energía, que el organismo utiliza constantemente, transformándolo de nuevo en glucosa que el hígado vierte en la sangre.

Pero la principal función del hígado relacionada con la digestión es la de fabricar y segregar la bilis.

Interiormente, el hígado está recubierto por un gran número de corpúsculos de forma oval, que reciben el nombre de *lobulillos hepáticos*.

El interior de cada uno de estos lobulillos está formado por numerosas células; son las **células hepáticas**, también llamadas

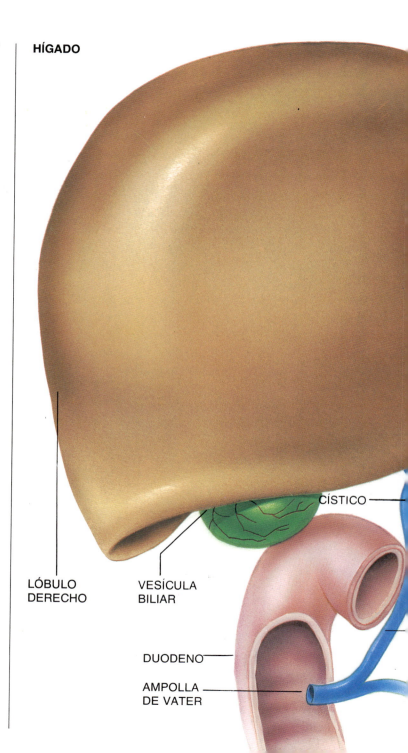

HÍGADO

CÍSTICO

LÓBULO
DERECHO

VESÍCULA
BILIAR

DUODENO

AMPOLLA
DE VATER

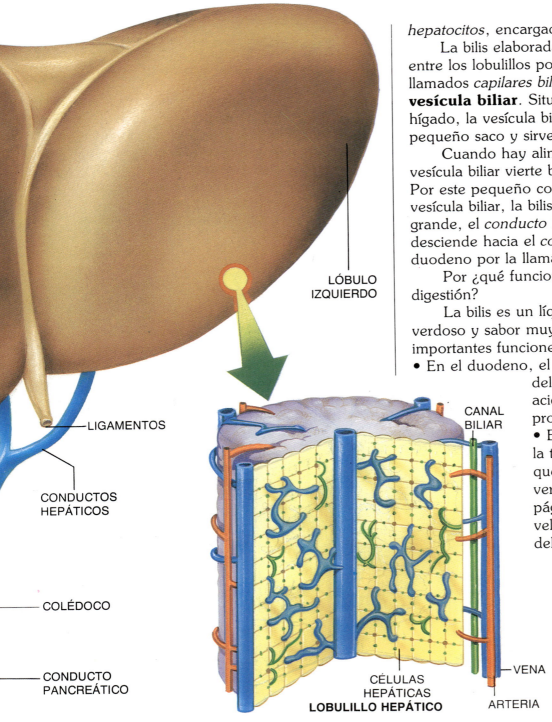

LÓBULO
IZQUIERDO

LIGAMENTOS

CONDUCTOS
HEPÁTICOS

COLÉDOCO

CONDUCTO
PANCREÁTICO

CANAL
BILIAR

VENA

ARTERIA

CÉLULAS
HEPÁTICAS
LOBULILLO HEPÁTICO

hepatocitos, encargadas de elaborar la bilis.

La bilis elaborada por las células circula entre los lobulillos por conductos muy delgados, llamados *capilares biliares*, hasta llegar a la **vesícula biliar**. Situada en la zona inferior del hígado, la vesícula biliar es parecida a un pequeño saco y sirve de almacén de la bilis.

Cuando hay alimentos en el duodeno, la vesícula biliar vierte bilis en el *conducto cístico*. Por este pequeño conducto que sale de la vesícula biliar, la bilis llega a un conducto más grande, el *conducto hepático*, y por éste desciende hacia el *colédoco* y entra en el duodeno por la llamada *ampolla de Vater*.

Por ¿qué funciones desempeña la bilis en la digestión?

La bilis es un líquido de color amarillo verdoso y sabor muy amargo, que cumple importantes funciones digestivas:

• En el duodeno, el primer tramo del intestino delgado, la bilis contrarresta la acidez del bolo alimenticio que procede del estómago.

• En el intestino, la bilis continúa la transformación de las grasas, que son absorbidas, como veremos en las próximas páginas, a través de las vellosidades del intestino delgado.

Aunque muy esquemática, esta representación seccionada de un lobulillo hepático, puede darte una idea aproximada de la gran complejidad de nuestra glándula más voluminosa.

La maestra de Marcos ha trazado un esquema en la pizarra en el que puede verse la relación del hígado y del páncreas con el aparato digestivo.

En estos momentos está señalando el páncreas porque quiere que sus alumnos tengan muy clara una cuestión: que se trata de una glándula que es, a la vez, endocrina (produce la insulina) y exocrina, o de secreción externa, puesto que vierte el jugo pancreático directamente al tubo intestinal, en el duodeno.

El páncreas y el jugo pancreático

El páncreas es una glándula pequeña y de forma alargada, situada en la parte superior del abdomen, por debajo del estómago.

Las glándulas son órganos que segregan sustancias destinadas a favorecer o regular el funcionamiento del organismo. Las glándulas, según la destinación inmediata de sus productos, se dividen en glándulas de secreción interna o *endocrinas* y glándulas de secreción externa o *exocrinas*.

Las glándulas son de *secreción interna* o *endocrinas* cuando vierten sus productos directamente a los vasos sanguíneos y linfáticos y a través de éstos los envían a distintas partes del cuerpo.

Las sustancias que producen las glándulas endocrinas reciben el nombre de *hormonas* y de ellas depende, en gran manera, que el organismo se desarrolle y funcione con normalidad y armonía. Intervienen, por ejemplo, en el crecimiento y en la aparición de los caracteres sexuales.

El páncreas es una glándula de secreción interna, pues produce una hormona llamada *insulina*, que transforma la glucosa en glucógeno; éste se almacena, como hemos visto, en el hígado y es «quemado» como fuente de energía por los músculos, transformado de nuevo en glucosa.

Pero el páncreas es también una glándula de *secreción externa*, porque vierte en el duodeno los enzimas del jugo pancreático, fundamentales para la transformación total de los alimentos.

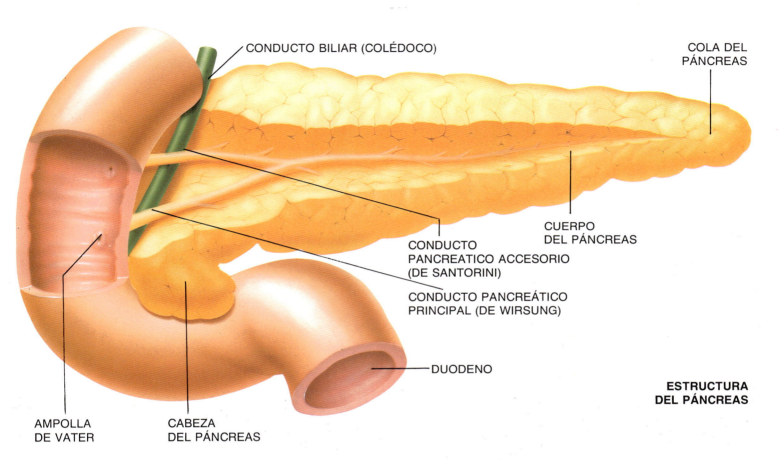

CONDUCTO BILIAR (COLÉDOCO)

COLA DEL PÁNCREAS

CONDUCTO PANCREATICO ACCESORIO (DE SANTORINI)

CUERPO DEL PÁNCREAS

CONDUCTO PANCREÁTICO PRINCIPAL (DE WIRSUNG)

DUODENO

ESTRUCTURA DEL PÁNCREAS

AMPOLLA DE VATER

CABEZA DEL PÁNCREAS

Una glándula es de secreción externa o exocrina, cuando vierte sus productos al exterior del cuerpo o en una cavidad interior con salida al exterior, como son, por ejemplo, el intestino y las fosas nasales. Quizás, las glándulas exocrinas más conocidas, sean las glándulas sudoríparas, que producen el sudor, y las grándulas lacrimales que segregan las lágrimas.

La parte del páncreas que segrega el *jugo pancreático*, está formado por numerosos lóbulos.

Desde los lóbulos, salen varios conductos, que se unen entre sí para formar dos más grandes: el *conducto de Wirsung* y el *conducto de Santorini*. El jugo pancreático llega al duodeno a través de estos dos conductos.

Las células del páncreas fabrican una rica combinación de enzimas, como son:

La **tripsina**, que «corta» las moléculas de proteínas en aminoácidos.

La **amilasa** y la **maltosa**, que descomponen los hidratos de carbono en glucosa.

La **lipasa**, que continúa la transformación de las grasas en ácidos grasos.

La acidez del *quimo* que pasa del estómago al duodeno estimula la mucosa duodenal, que segrega una hormona, llamada *secretina*. Esta hormona, a su vez, influye en el páncreas que segrega entonces el jugo pancreático, que entra en el duodeno por la *ampolla de Vater*.

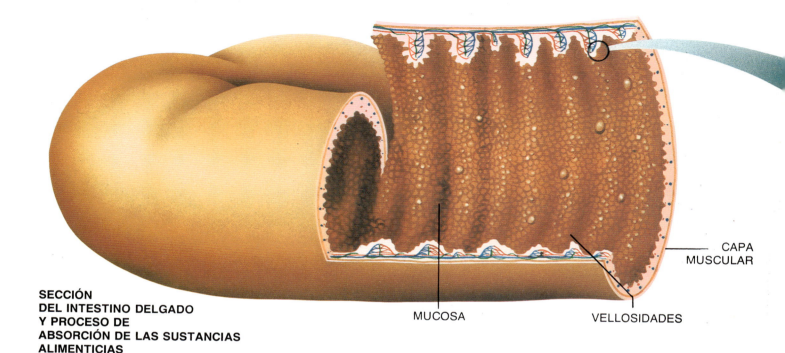

**SECCIÓN
DEL INTESTINO DELGADO
Y PROCESO DE
ABSORCIÓN DE LAS SUSTANCIAS
ALIMENTICIAS**

MUCOSA

VELLOSIDADES

CAPA
MUSCULAR

La absorción de las sustancias alimenticias

A diferencia de algunos animales, el ser humano no suele estar comiendo siempre. Comemos a intervalos regulares y, a lo largo del día, alternamos nuestras comidas con muchas actividades: trabajar, estudiar, jugar…, dormir.

Sin embargo, las células de nuestro organismo necesitan que las sustancias nutritivas que proporcionan los alimentos les lleguen de forma continua.

Tiene que haber, por lo tanto, un sistema para evitar que el hecho de no estar comiendo siempre, interrumpa el suministro constante de alimento que reclama el organismo.

Para poder afrontar una inesperada necesidad de actividad física, es preciso que los hidratos de carbono y las grasas, responsables de la energía, estén siempre disponibles. También las proteínas deben estar a punto para reconstruir los tejidos, asegurando así el mantenimiento y crecimiento del cuerpo.

Parte de este problema se resuelve al tener que desplazarse la comida por un intestino delgado largo: cuando sale del estómago, tiene que viajar por el intestino delgado y, aunque la velocidad puede variar, según lo que se haya comido, el trayecto puede durar varias horas.

Entretanto, a lo largo del intestino delgado, se produce el «reparto» a todo el organismo de

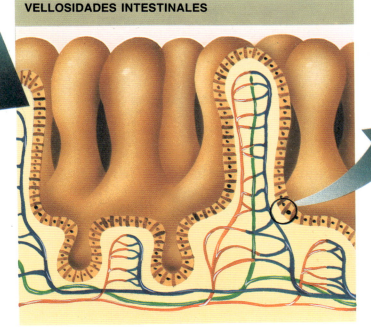

VELLOSIDADES INTESTINALES

CAPILARES
SANGUÍNEOS Y LINFÁTICOS

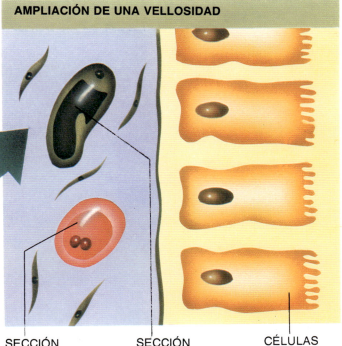

AMPLIACIÓN DE UNA VELLOSIDAD

SECCIÓN
DE UN CAPILAR
SANGUÍNEO

SECCIÓN
DE UN CAPILAR
LINFÁTICO

CÉLULAS
DE UNA
VELLOSIDAD

los componentes básicos de los alimentos.

Este «reparto» se realiza mediante la absorción de las sustancias nutrientes a través de las **vellosidades intestinales**, que forman las paredes del intestino delgado.

Las vellosidades intestinales están formadas por fibrillas muy numerosas, que ondulan sumergidas en las diferentes sustancias nutrientes las envuelven, y las absorben.

Cuando han sido absorbidos, cada clase de nutrientes utiliza distintos caminos.

Algunas sustancias van directamente donde hacen falta, ya que la circulación sanguínea las reparte por las células del cuerpo.

Pero otras sustancias tienen destinos distintos:
• Los **hidratos de carbono**, convertidos en monosacáridos, y las **proteínas**, transformadas en *aminoácidos*, penetran en los capilares sanguíneos de las vellosidades intestinales y, a través de la *vena porta*, se dirigen al hígado.

Una parte de estos materiales será almacenada y el resto de ellos saldrán del hígado por la *vena suprahepática*, para ser distribuidos a las células de todo el cuerpo.

Así recibe el organismo hidratos de carbono, fuente de energía, y proteínas para reparar y construir los tejidos.
• Las **grasas**, transformadas en ácidos grasos y en glicerina, utilizan una vía distinta.

Una vez han sido absorbidas por las vellosidades intestinales, pasan a los *vasos linfáticos* donde son transformadas en grasas más asimilables que, desde el sistema linfático, penetran en el riego sanguíneo, sin pasar por el hígado.

**LOCALIZACIÓN
DEL APARATO DIGESTIVO
DE UN PEZ**

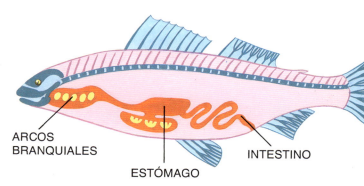

ARCOS
BRANQUIALES

ESTÓMAGO

INTESTINO

Siendo el elefante el mayor de los herbívoros, es fácil imaginar que los intestinos del gran proboscidio deben tener una longitud muy *considerable. En efecto: el paquete intestinal de un elefante adulto, una vez estirado, tiene una longitud aproximada de 40 m.*

¿Sabías que...

...el tipo de alimentación influye en la longitud del intestino?

El intestino de los demás mamíferos no se diferencia mucho de intestino del hombre. Sin embargo, existen grandes diferencias en cuanto a la longitud, que está relacionada con el tipo de alimentación.

Es mucho más largo en los animales *herbívoros*, que se alimentan de vegetales, principalmente hojas y tallos, y más corto en los carnívoros, que comen sobre todo carne.

Las diferencias de longitud del intestino entre herbívoros, carnívoros y omnívoros, son tales que, si el intestino delgado del ser humano mide entre 6 y 7 m, es decir, unas cuatro veces la longitud del cuerpo, en el buey, por ejemplo, representa 21 veces la longitud del cuerpo y en el perro, entre 5 y 6 veces.

En el extremo contrario de los herbívoros, en lo que se refiere a la longitud del intestino, se encuentran algunos peces, que para compensar la poca longitud de su intestino, lo tienen enrollado en espiral; de esta forma, se incrementa la superficie disponible para absorber las sustancias nutritivas.

El intestino grueso: el final del viaje

Las sutancias que no han sido absorbidas por las vellosidades intestinales forman una pasta espesa, que entra en el intestino grueso a través de la *válvula ileocecal*. Luego habrá de recorrer las tres partes del intestino grueso:

El ciego

Es el primer tramo del intestino grueso, donde desemboca el intestino delgado.

En el ciego, hay una *especie de tubo corto y estrecho*; es el **apéndice**, llamado vermicular. Es un pequeño órgano que no cumple ninguna función en la digestión, pero que cuando se infecta, puede dar lugar a una apendicitis.

El colon

En el colon, hay tres partes:

■ **El colon ascendente.** Es el tramo del colon que asciende en dirección a la zona donde se encuentra el hígado.

■ **El colon transverso.** Atraviesa la cavidad abdominal de derecha a izquierda.

■ **El colon descendente.** Tramo del colon que desciende hacia la pelvis.

Una de las principales funciones del colon es absorber el agua contenida en los alimentos. En el intestino grueso, hay, además, miles de millones de bacterias, que se desarrollan con los residuos de la comida y los restos de jugos digestivos. Estos microorganismos se expulsan en gran número con las *heces*, formadas a lo largo del intestino grueso por las sustancias que no han sido digeridas.

El recto

Es la última parte del intestino grueso. Comienza con un tramo ancho, llamado **ampolla rectal**. Pero el último tramo, que es también el final del tubo digestivo, es más estrecho, por la existencia de unos músculos, llamados *esfínteres*, que regulan a voluntad la *abertura anal* o *ano*, por donde se expulsan las heces.

PARTES DEL INTESTINO GRUESO

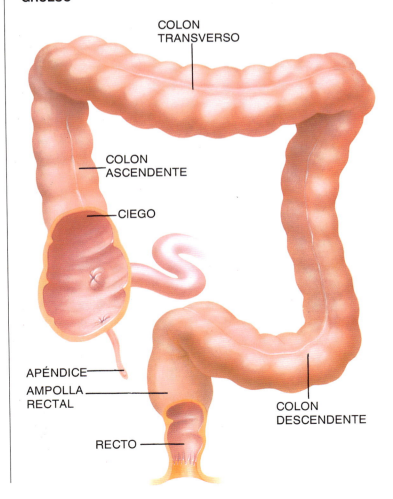

COLON TRANSVERSO

COLON ASCENDENTE

CIEGO

APÉNDICE

AMPOLLA RECTAL

COLON DESCENDENTE

RECTO

La digestión, paso a paso

Boca:
• Masticación.
• La saliva mezcla y reblandece los alimentos, formando el *bolo alimenticio*.
• La tialina, una enzima de la saliva, inicia la transformación de los hidratos de carbono en *maltosa*.

Esófago:
• El bolo alimenticio desciende hacia el estómago.

Estómago:
Los jugos gástricos actúan sobre el bolo alimenticio:
• La pepsina convierte las proteínas en aminoácidos.
• La lipasa transforma las grasas en ácidos grasos y en glicerina.

Intestino delgado (duodeno)
• El bolo alimenticio

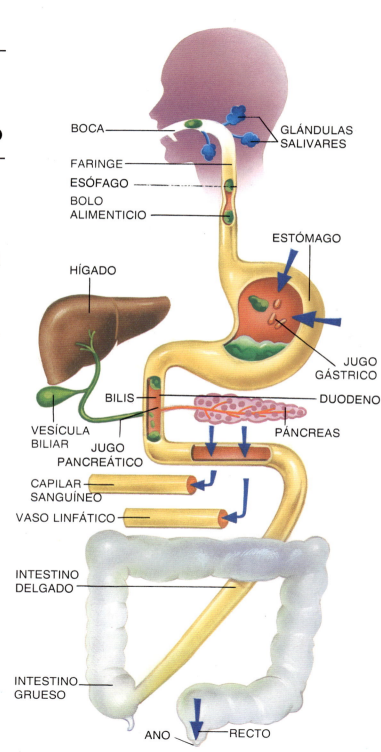

BOCA
GLÁNDULAS SALIVARES
FARINGE
ESÓFAGO
BOLO ALIMENTICIO
ESTÓMAGO
HÍGADO
JUGO GÁSTRICO
BILIS
DUODENO
VESÍCULA BILIAR
PÁNCREAS
JUGO PANCREÁTICO
CAPILAR SANGUÍNEO
VASO LINFÁTICO
INTESTINO DELGADO
INTESTINO GRUESO
ANO
RECTO

sale del estómago y entra en el duodeno, la primera porción del intestino delgado.
• El jugo intestinal, la bilis del hígado y el jugo pancreático del páncreas, continúan la transformación de los alimentos.

Intestino delgado (yeyuno e íleon)
• Absorción de las sustancias nutrientes de los alimentos, a través de las vellosidades intestinales:
• Los hidratos de carbono, transformados en monosacáridos, y las proteínas, convertidas en aminoácidos, pasan a los vasos sanguíneos.
• Las grasas, tansformadas en ácidos grasos y en glicerina, pasan a los vasos linfáticos.

Intestino grueso
• Se absorbe el agua presente en las materias no aprovechables y se forman las heces, que se expulsan al exterior por el ano.

El metabolismo. Producción y consumo de energía

Un organismo vivo consume energía, que obtiene del alimento y del aire que respira.

La obtención de energía se realiza a través de la digestión, que produce las sustancias asimilables, y por la combustión de algunas de ellas, gracias al oxígeno que distribuye la sangre.

El organismo consume una parte de la energía que obtiene y ahorra otra parte, almacenándola como reserva, sobre todo en el hígado y en los músculos.

A esa reserva recurre siempre que lo necesita; y lo necesita incluso cuando descansa, ya que ni siquiera entonces se interrumpe la actividad del corazón o el trabajo de los músculos respiratorios.

Esta producción y consumo de energía recibe el nombre de **metabolismo**.

Metabolismo es el conjunto de reacciones químicas que ocurren en el interior del organismo y que tienen como objetivo obtener la energía necesaria para que los órganos del cuerpo funcionen, y sintetizar los «materiales» precisos para que los tejidos corporales se regeneren y sea posible el crecimiento del cuerpo.

El metabolismo varía de unas personas a otras, en función de múltiples causas: la edad, el peso, la actividad, etc.

Para que un organismo esté sano es necesario un equilibrio entre la energía gastada y los alimentos energéticos consumidos.

La energía que el organismo puede obtener de los distintos alimentos, a través del metabolismo, se expresa en calorías, unidad física de cantidad de calor, ya que, en el organismo humano, la energía liberada se manifiesta en forma de calor.

¿Sabías que...

...la agricultura y la ganadería son importantes fuentes de alimentos?

Desde tiempos muy remotos la agricultura y la ganadería han sido las fuentes más importantes para la alimentación del hombre, y siguen siéndolo. Sin agricultura ni ganadería la mayor parte de la humanidad se moriría de hambre.

Los **cereales** son el alimento básico de la mayoría de la población mundial; comprenden el arroz, el trigo, el centeno, la cebada, la avena y el maíz, siendo el arroz el principal alimento en muchos países y el siguiente en importancia, el trigo.

Las **verduras** y las **hortalizas** son también alimentos básicos, junto con las **frutas**, que se cultivan en todo el mundo, aunque algunas, como el plátano y la naranja necesitan climas cálidos.

La **ganadería** desempeña también un importante papel en la alimentación humana.

También es muy importante la **avicultura**, dedicada a la cría intensiva de aves domésticas.

¿Cuántas calorías necesitas?

Es necesario conocer la cantidad de calorías que nos proporcionan los alimentos.

La caloría es la unidad de medida de la energía suministrada por la comida.

Pero la caloría es una unidad de medida muy pequeña. Por ello, para saber la energía que podemos obtener de cada grupo de alimentos, se utiliza la **kilocaloría** que equivale a mil calorías. Su símbolo es **kcal**.

Un adolescente que realice una actividad normal necesita entre 2.000 y 2.500 kilocalorías diarias y un adulto con un trabajo sedentario, entre 2.500 y 3.000; pero las necesidades aumentan si se realiza un trabajo pesado, un ejercicio físico intenso o se vive en un clima frío.

Un esquimal, por ejemplo, gasta más energía que una persona que vive en un país de clima templado.

El metabolismo de cada persona influye además en el gasto de energía. Por ello, hay personas que, aunque no realicen una actividad física intensa, gastan las calorías más deprisa que otras y pueden comer sin demasiado temor a engordar. Otras, en cambio, tienen tendencia a almacenar energía en forma de grasa.

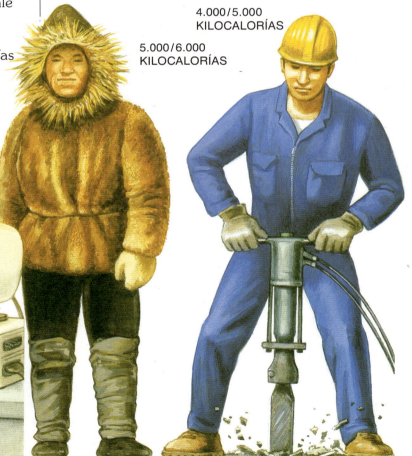

2.500/3.000 KILOCALORÍAS

5.000/6.000 KILOCALORÍAS

4.000/5.000 KILOCALORÍAS

Las calorías que proporcinan los principales alimentos

En esta tabla elemental se relacionan las cantidades, en gramos, de las sustancias nutritivas contenidas en cien gramos de nuestros principales alimentos, con el aporte energético, expresado en kcal, que cada uno proporciona.

Observa como el aporte energético (cantidad de calorías) es mayor en aquellos alimentos que son ricos en grasas e hidratos de carbono, circunstancia que se da, sobre todo, en el grupo de los frutos secos y de las legumbres.

Alimentos (100 g)	Proteínas (en g)	Grasas (en g)	Hidratos de carbono (en g)	Energía (en kcal)	Alimentos (100 g)	Proteínas (en g)	Grasas (en g)	Hidratos de carbono (en g)	Energía (en kcal)
Cereales y tubérculos					**Carne huevos y pescado**				
Arroz pulido blanco	7,2	0,6	79,7	364	Jamón curado semigraso	15,4	26,0	0,6	303
Pan blanco de trigo	9,3	0,7	64,6	307	Cerdo semigraso	15,5	16,5	0	216
Patatas (enteras)	2,8	0,2	18,2	79	Ternera semigrasa	19,1	12,0	0	190
Legumbres					Pollo	18,2	10,2	0	170
Garbanzos	18,2	6,2	61,1	364	Hígado de vacuno mayor	19,8	3,9	3,6	134
Lentejas	23,7	1,3	60,7	340	Huevo de gallina	11,3	9,8	2,7	148
Alubias	22,0	1,6	60,8	337	Bacalao	81,8	2,8	—	375
Frutos secos					Sardinas en aceite	25,3	11,7	0	214
Nuez de nogal	13,7	67,2	13,2	664	Merluza	19,3	0,8	0	90
Avellana	10,8	63,2	19,8	647	**Leche y productos lácteos**				
Cacahuete (tostado)	28,8	46,9	18,1	566	Leche de vaca	3,5	3,0	5,5	61
Almendra	18,6	54,1	19,6	547	Leche condensada	8,1	8,1	55,7	321
Frutas, verduras y hortalizas					Queso de vaca duro	25,0	31,0	2,0	387
Plátano	1,0	0,3	32,3	122	Queso de vaca semiblando	18,0	24,0	3,0	299
Uva	0,6	0,7	16,7	68	Requesón	15,0	15,0	4,0	220
Ciruela	0,6	0,2	11,9	47	Yogur	4,8	3,8	4,5	71
Naranja dulce	0,8	0,2	10,5	42	**Aceites y grasas**				
Melocotón amarillo	0,6	0,1	9,7	38	Aceite de oliva	0	99,9	0	883
Guisante	7,6	0,4	21,0	97	Mantequilla	1,0	84,0	0	743
Judía verde	2,0	0,2	6,6	36	Margarina	0,6	81,0	0,4	720
Espinaca	2,8	0,7	4,9	30					
Azúcares y derivados									
Azúcar refinado o granulado	0	0	99,1	384					
Miel de abeja	0,2	0	78,0	306					
Chocolate ordinario	4,4	35,1	57,9	528					
Confituras	0,6	0,1	70,0	272					

¿Sabías que...

...el pescado es un alimento muy nutritivo?

El pescado es un valioso alimento, pues representa una de las principales fuentes de proteínas.

Casi todo el pescado que se consume se captura en el mar, pero también hay muchas especies comestibles de agua dulce, que se pescan en los ríos y los lagos.

Los dos tipos principales de pesca en el mar son la *pesca de bajura* y la *pesca de altura*.

En la **pesca de bajura**, los pescadores *faenan*, es decir, pescan en las aguas próximas a la costa y regresan cada día a puerto para desembarcar la pesca.

Los pescadores que se dedican a la **pesca de altura** salen a alta mar en grandes *traineras* o barcos de arrastre y no regresan a puerto hasta varias semanas después.

Capturan principalmente bacalao y atún con enormes redes, que son arrastradas por los barcos. Cada pocas horas, los pescadores vacían el contenido de la red en la cubierta del barco y conservan la pesca sobre una capa de hielo o en la cámara frigorífica del barco.

No todos los mares poseen la misma riqueza pesquera. Los mayores *bancos de peces* se localizan al norte y en la zona central del océano Pacífico y al norte del Atlántico.

La pesca constituye en la actualidad una industria muy importante y algunos países, como la Unión Soviética y Japón, poseen flotas pesqueras que *faenan* en todos los mares del mundo.

La dieta diaria

Seguramente cuando oyes mencionar la palabra *dieta*, crees que se está hablando de dietas de adelgazamiento o de dietas especiales para personas enfermas.

Sin embargo, el término *dieta* tiene un sentido más amplio: incluye los diferentes tipos de alimentos que debemos consumir cada día para proporcionar al organismo todos los nutrientes que necesita.

Una dieta diaria adecuada debe contener alguno de los siguientes alimentos, cada uno de ellos rico en hidratos de carbono, grasas, proteínas y sales minerales y con pequeñas cantidades de vitaminas: cereales (arroz, pan, pasta); leche, queso, yogur; carne; pescado; huevos; legumbres; frutas y hortalizas.

La necesidad de una dieta adecuada es mayor en el niño y el adolescente, cuyo organismo no sólo precisa reponer la energía gastada, sino también el «material» —las proteínas— empleado en el crecimiento.

Aquí tienes, resumidas, varias reglas básicas de tu alimentación:

• Más importante que la cantidad es la variedad de alimentos, de forma que contengan todos los nutrientes básicos.

• Come carne, como máximo una vez al día.

• Debes alternar la carne con pescado, dos o tres veces a la semana.

• Come mucha fruta y verdura fresca; contienen las vitaminas más importantes y son ricas en sales minerales.

• El consumo de huevos debe quedar reducido a tres o cuatro a la semana.

• Como norma general, el desayuno debe ser abundante y la cena ligera; también es preferible comer menos al mediodía y completar la alimentación diaria con una merienda.

¿Sabías que...

...las primeras «cocinas» prehistóricas eran un hoyo en la tierra, lleno de brasas?

Los hombres primitivos no cocinaban sus alimentos. Cuando hallaban algo comestible, lo comían crudo; y esto era así porque mal podían cocinar cuando no conocían el fuego.

Es posible que la cocción de los alimentos y, por lo tanto, la cocina, se descubriera por casualidad. Tal vez alguna de las piezas cazadas fue arrojada cerca del fuego o quizá alguien dejó caer sobre las brasas el pedazo de carne que estaba comiendo. Sea como fuere, el caso es que el hombre descubrió que la comida le sabía mejor y era más blanda si la cocinaba.

La primera cocina del hombre primitivo era un hoyo en la tierra, lleno de piedras y brasas ardiendo.

Más tarde, antes del descubrimiento de la cerámica, aprendió a hervir la comida con ayuda de un pedazo de cuero. Llenaba el cuero de agua y la calentaba sobre las piedras hasta que el agua hervía.

Hace pues miles de años que el hombre aprendió a **asar** y **hervir** su comida, que aún siguen siendo los dos métodos básicos de cocinar.

El hombre aprendió a producir y a controlar el fuego durante el Período Paleolítico de la llamada Edad de la Piedra, cuando vivía en cavernas y dependía de la caza para subsistir. Es decir: las hordas humanas encendían sus hogueras mucho antes de que hubiera aparecido el gran invento de la cerámica, que se dio en el período llamado Neolítico. En realidad, la técnica de la cocción de los alimentos, difícilmente podía desarrollarse sin la existencia de vasijas impermeables y resistentes a la acción del fuego. El hombre de nuestra ilustración, por su forma de calentar el agua, vive aún en pleno Paleolítico, cuando la alimentación más «refinada» debió ser la carne asada y unos pocos vegetales crudos. Sólo cuando el hombre aprende a cultivar y a criar animales (se hace agricultor y ganadero), y aparecen las vasijas de barro cocido, surge también una verdadera «cocina», cuyos principios fundamentales siguen vigentes: alimentos asado con la acción directa del fuego y alimentos cocidos en agua hirviendo.

Más vale prevenir que curar

Una alimentación equilibrada

Como ya sabes, las sustancias nutrientes fundamentales que el organismo obtiene de los alimentos son:
• Los **hidratos de carbono** y las **grasas**, importantes fuentes de energía.
• Las **proteínas**, esenciales para el crecimiento, pues a partir de ellas, se forman los tejidos nuevos y se reponen los desgastados.
• Las **vitaminas**, que a pesar de necesitarse en cantidades muy pequeñas, son fundamentales para el buen funcionamiento del organismo. Ayudan a obtener la energía de los alimentos e intervienen en la formación de los tejidos.

• Las **sales minerales**, que tienen varias funciones: intervienen en la formación de los huesos, en la fabricación de los glóbulos rojos, etc.

La palabra *nutriente* viene de **nutrición** y, en la actualidad, la nutrición se ha convertido en una ciencia de la alimentación, cuyo objetivo es determinar qué nutrientes y en qué cantidades son adecuados para cada persona y en qué alimentos se encuentran.

En algunos países, la población está mal alimentada; padece **desnutrición**, origen de muchas enfermedades.

Pero en los países desarrollados, muchas enfermedades, como la *arteriosclerosis*, la *caries dental* o la *obesidad*, están relacionadas con **desequilibrios** en la nutrición.

Piensa que existe una estrecha relación entre alimentación y salud y que contribuirás a conservar tu salud si tu dieta es equilibrada.

VEGETALES — CARNES

VITAMINAS Y SALES MINERALES — PROTEÍNAS

AZÚCAR — MANTEQUILLA

CARBOHIDRATOS — GRASAS

¡Vigila tu peso!

Una de las principales funciones de la grasa es la de ser una fuente de energía; también entra en la composición de las células y forma parte de los tejidos corporales, proporcionando protección a algunos órganos, como los riñones.

Pero la mayor parte de la grasa se deposita bajo la piel, formando el llamado *tejido adiposo*.

La grasa es utilizada por el organismo como una reserva de energía.

La obesidad aparece cuando se ingieren más calorías de las que el organismo gasta, ya sea porque la alimentación es excesivamente rica en calorías, por la falta de ejercicio o, muy a menudo, por ambas causas a la vez.

La mejor forma de prevenir la obesidad es no consumir un exceso de grasa; pero cuando se sobrepasa en varios kilos el peso normal, según la edad y la talla, se debe tratar la obesidad como lo que verdaderamente es, una enfermedad, y acudir al médico para que indique una dieta adecuada.

El control del peso es también una buena forma de prevención de la obesidad. Pero debes tener en cuenta que el peso depende además de otros factores, como la estructura del esqueleto, el desarrollo de los huesos, etc.

Por ello, en la tabla que se incluye, existen unos márgenes mínimos y máximos de peso, según la talla y la edad.

	Talla en cm	Peso en kg
Niños		
6 años	112 - 126	18 - 26
7 años	114 - 134	19 - 29
8 años	120 - 140	21 - 33
9 años	125 - 145	24 - 36
10 años	129 - 150	25 - 39
11 años	135 - 155	28 - 42
12 años	155 - 160	30 - 46
Niñas		
6 años	108 - 124	17 - 25
7 años	113 - 130	18 - 28
8 años	119 - 137	20 - 32
9 años	123 - 143	22 - 36
10 años	128 - 148	24 - 39
11 años	133 - 155	25 - 44
12 años	140 - 163	29 - 49

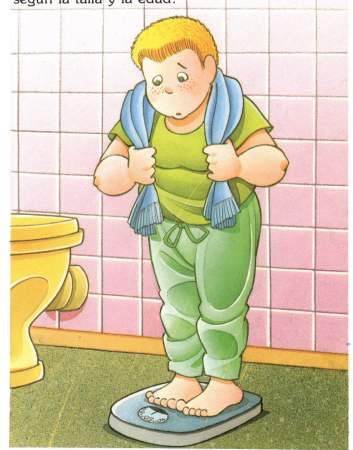

Trastornos intestinales más frecuentes

El estreñimiento

Se dice que una persona está *estreñida* cuando se producen pausas largas *entre* sus *deposiciones* o cuando las heces son muy duras o se expulsan en poco cantidad.

El estreñimiento puede deberse a una alimentación pobre en *fibras vegetales* y en líquidos, junto con una vida excesivamente sedentaria, una de las causas principales de que, en la actualidad, sufran de estreñimiento muchas personas.

Debe beberse abundante líquido y basar la alimentación en verduras, frutas y legumbres. Un buen modo de prevención es el ejercicio físico.

La diarrea

La diarrea es uno de los trastornos digestivos más freuentes en los niños.

Los alimentos pasan por el intestino grueso más de prisa de lo normal, por lo que no hay una suficiente absorción de líquidos.

Las causas principales de la diarrea suelen ser infecciones producidas por bacterias en el intestino grueso o intoxicaciones por comer alimentos en mal estado.

La diarrea puede ser peligrosa, sobre todo en los bebés, pues a causa del líquido que pierden se puede llegar a una *deshidratación*, o pérdida de agua importante.

Por ello, el tratamiento normal de la diarrea suele ser una dieta a base de líquidos, que paulatinamente se amplía a caldo, arroz blanco, carne a la plancha, etc.

PAN INTEGRAL

PRODUCTOS INTEGRALES

ALIMENTOS QUE EVITAN EL ESTREÑIMIENTO

FRUTA

VEGETALES

El pequeño Nicolás, claro, no entiende que sus papás se preocupen tanto por sus defecaciones. Pero tu, que ya eres mayor, puedes entenderlo perfectamente. La regularidad y la normalidad en la expulsión de las heces fecales, es imprescindible para la salud. Advertir a tiempo los primeros síntomas de una diarrea o un estreñimiento, son importantes para cortar de raíz un trastorno que podría derivar en enfermedad grave.

La apendicitis

La apendicitis es una infección del **apéndice**, un pequeño órgano que se encuentra en el ciego, el primer tramo del intestino grueso y que, por su forma parecida a la de un gusano, se denomina apéndice vermicular.

En el intestino grueso, hay una gran cantidad de bacterias, que, en ocasiones, junto con residuos de comida, pueden obstruir el orificio del apéndice. A causa de ello, el apéndice se inflama y se puede llega a infectar por la acción de las numerosas bacterias.

La apendicitis provoca un dolor muy agudo, que empieza en la zona inferior derecha del abdomen y puede ocasionar náuseas, vómitos y algunos trastornos intestinales, como estreñimiento. La fiebre puede llegar a ser alta, con notables diferencias entre la temperatura anal (tomada con el termómetro introducido en el ano), más elevada, y la temperatura axilar, tomada en las axilas o sobacos.

Al primer síntoma, es aconsejable acudir al médico; si se trata de una *apendicitis aguda*, se puede perforar el apéndice y las materias acumuladas en el interior pueden inflamar el peritoneo. *Peritoneo* es el nombre que recibe la membrana que recubre la cavidad abdominal, donde se halla parte del tubo digestivo y glándulas tan importantes como el hígado.

La inflamación del peritoneo podría acabar en una perforación; se trataría entonces de una enfermedad muy grave, llamada *peritonitis*.

Sin embargo, si se actúa a tiempo, la apendicitis se resuelve con la extirpación del apéndice, mediante una sencilla operación, que no presenta complicaciones.

La operación de apendicitis es, después de la extirpación de las amígdalas, la operación quirúrgica más común en la actualidad.

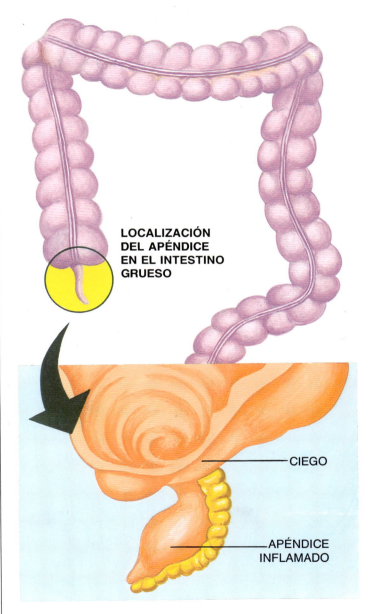

LOCALIZACIÓN DEL APÉNDICE EN EL INTESTINO GRUESO

CIEGO

APÉNDICE INFLAMADO

El apéndice vermicular es una pequeña prolongación del intestino grueso, cuya razón de ser no tiene una explicación clara. Carece de utilidad, siendo a modo de una cloaca sin salida en la que pueden acumularse gran cantidad de bacterias y de restos de alimentos que, en caso de obstrucción del orificio de entrada, producirán una apendicitis más o menos importante.

El hígado, guardián de la salud

Una glándula voluminosa

El hígado es, sin lugar a dudas, el órgano más incansable, silencioso y trabajador de nuestro cuerpo y, sin embargo, es también un órgano en el que se piensa poco, que se trata mal y al que, en consecuencia, se deben muchos de nuestros males. Este maravilloso órgano, puede compararse a un eficiente laboratorio capaz de realizar un gran número de funciones distintas: selecciona, transforma, almacena y distribuye los alimentos que ingerimos, y, al mismo tiempo, elimina todas aquellas sustancias tóxicas que podrían dañar al organismo, sea cual sea la procedencia de las mismas.

Cuando alguna de estas funciones falla o su sincronización no es perfecta, se producen irregularidades en el rendimiento del hígado y las consecuencias se hacen sentir en todo el organismo.

Con sus treinta mil millones de células, llamadas hepatocitos, es la víscera más voluminosa, con un peso que, en el hombre adulto, es aproximadamente de 1.500 gramos. Todos los vertebrados poseen hígado, cuya forma y peso varía mucho de una especie a otra. El hígado o glándula hepática, por sus innumerables funciones, es una víscera tan vital como pueda serlo el corazón, es decir, absolutamente vital.

Los invertebrados no tienen propiamente un hígado, pero presentan algunos órganos con función hepática o hepático-pancreática necesaria para su metabolismo. Queremos decir que las funciones metabólicas que realiza el hígado de los vertebrados, de alguna manera, también son necesarias para los demás animales.

Esquema de la situación del hígado en la cavidad abdominal, y de su relación con el estómago, páncreas y duodeno.

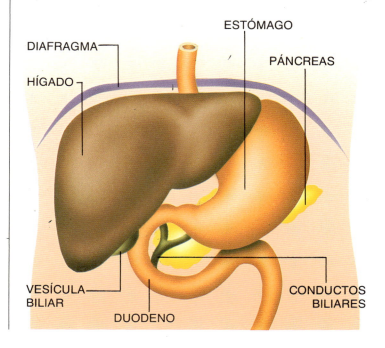

DIAFRAGMA

HÍGADO

ESTÓMAGO

PÁNCREAS

VESÍCULA BILIAR

DUODENO

CONDUCTOS BILIARES

Descripción del hígado

El hígado ocupa la parte más elevada de la cavidad abdominal, inmediatamente debajo del diafragma, pudiéndose percibir su borde si colocamos los dedos debajo de las costillas y efectuamos una ligera presión en sentido ascendente.

Su color es pardo-rojizo, y su superficie lisa y convexa al amoldarse al diafragma. En cambio, es cóncavo por debajo, presentando tres surcos en forma de H que lo dividen en cuatro lóbulos: el **derecho**, que es el más voluminoso, el **izquierdo**, que termina en punta; el **cuadrado** o **anterior**, y el **lóbulo de Spiegel** o **posterior**. El más acentuado e importante de dichos surcos es el transversal, llamado **hilio**, a través del cual pasan todos los nervios y vasos sanguíneos que entran o salen del hígado, con excepción de las venas suprahepáticas.

El hígado está envuelto por una membrana semitransparente y resistente, que a nivel del hilio se adentra en el tejido hepático, a cuyo seno envía finos tabiques conjuntivos que lo descomponen en pequeños lobulillos.

Son estos lobulillos las estructuras unitarias que confieren al hígado su aspecto granuloso, aunque al ser tan pequeños y estar íntimamente fusionados se haga dificilísimo llegar a percibir sus límites.

Hígado humano visto por su cara posterior, en la que se distinguen los lóbulos hepáticos. Es la que está en contacto con el estómago y el duodeno. En ella se sitúan la vesícula biliar y los conductos biliares, así como los principales vasos sanguíneos, para la entrada y salida de la sangre que irriga la masa de la gran glándula de nuestro cuerpo.

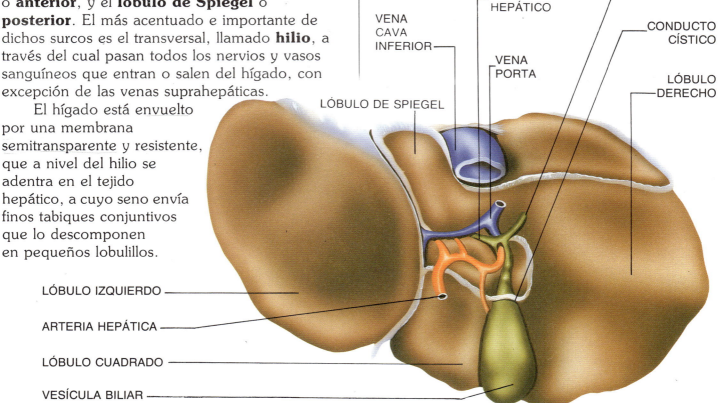

VENA CAVA INFERIOR

CONDUCTO HEPÁTICO

VENA PORTA

COLÉDOCO

CONDUCTO CÍSTICO

LÓBULO DERECHO

LÓBULO DE SPIEGEL

LÓBULO IZQUIERDO

ARTERIA HEPÁTICA

LÓBULO CUADRADO

VESÍCULA BILIAR

Los lobulillos hepáticos, hígados en miniatura

La unidad básica del hígado es el **lobulillo hepático**, estructura cilíndrica de unos cuatro milímetros de longitud y 0,8 a 2 mm de diámetro. El hígado humano contiene aproximadamente de 50.000 a 100.000 lobulillos, cada uno de los cuales realiza las funciones que en su totalidad atribuimos al hígado. Es decir: cada lobulillo se comporta como un hígado en miniatura.

Los lobulillos hepáticos en los que se subdivide el hígado tienen forma hexagonal y están constituidos por infinidad de islotes de células rodeadas por capilares sanguíneos, que confluyen hacia el centro del lobulillo, donde se unifican dando origen a una venilla que lo atraviesa longitudinalmente.

La sangre penetra en el hígado por la vena porta, la cual en el interior de la masa hepática se ramifica en venillas cada vez más pequeñas hasta llegar a la superficie de los lobulillos. En el interior de cada lobulillo (durante su paso por los capilares) la sangre es tratada y filtrada tan a fondo por las células hepáticas que al salir por la venilla central, su composición es totalmente distinta de cuando penetró en el hígado.

Por otra parte, la bilis segregada en estas mismas células hepáticas fluye por unos capilares biliares que se van congregando en forma estrellada alrededor de la venilla central, pero sin entrecruzarse nunca con los capilares sanguíneos; estos últimos circulan alrededor de los islotes de células, mientras que los biliares lo hacen por las superficies de contacto intercelulares interiores.

Todo este complejo sistema convierte a cada lobulillo en un hígado en miniatura capaz de desempeñar todas las funciones que realiza el hígado en su totalidad, pudiendo circular en su interior la bilis y la sangre por separado: la sangre hacia la vena cava y la bilis hacia la vesícula biliar para ser vertida en el primer tramo del intestino, o sea, en el duodeno.

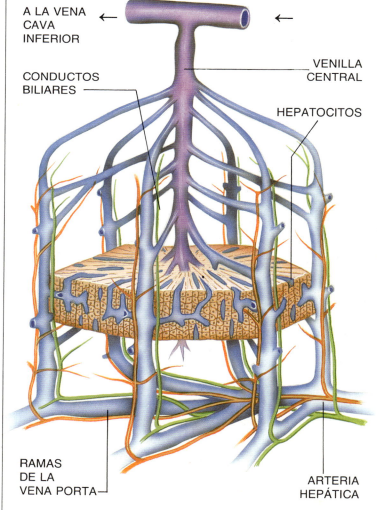

A LA VENA CAVA INFERIOR

CONDUCTOS BILIARES

VENILLA CENTRAL

HEPATOCITOS

RAMAS DE LA VENA PORTA

ARTERIA HEPÁTICA

ESTRUCTURA DE UN LOBULILLO HEPÁTICO

¿Sabías que...

...el hígado puede cambiar de tamaño?

Ya hemos dicho que el hígado es la más pesada y voluminosa de las vísceras humanas. Digamos ahora que es, también, la que presenta mayores variaciones individuales, dado que su normal evolución va muy ligada a la evolución biológica total del individuo al que pertenece. El hígado crece con los años hasta alcanzar, en la edad adulta, los 1.200 a 1.500 gramos de peso. Luego, a partir de los cincuenta o más años, empieza a atrofiarse y a disminuir su peso: de 800 o 1.000 gramos en la vejez.

Estos pesos a los que nos acabamos de referir corresponde al «hígado vacío», es decir, separado del cuerpo. Pero vivo y funcionando puede llegar a superar los 2.500 gramos, dada la enorme cantidad de sangre que es capaz de contener. Por dicha causa su peso y volumen aumentan notablemente durante la digestión, en algunas afecciones cardíacas y pulmonares, y en general, en todas aquellas circunstancias en las que se ve forzado a almacenar una mayor cantidad de sangre. Asimismo, sus dimensiones disminuyen en ayunas, en enfermedades acompañadas de desnutrición y en las hemorragias.

De 800 a 1.000 g

De 1.200 a 1.500 g

Las múltiples funciones del hígado

El hígado realiza más de 500 funciones distintas, lo que hace imposible analizarlas con detalle; por tanto las englobaremos en grandes grupos que nos permitan hacernos una idea clara de su funcionamiento. Así, tenemos que estos grupos son los siguientes:
• Funciones relacionadas con la digestión: la producción de bilis.
• Funciones de control y almacenamiento de los alimentos.
• Funciones de desintoxicación.

La producción de bilis

Cada uno de los pequeños lobulillos que constituyen el hígado recoge de la sangre cientos de sustancias de desecho: productos tóxicos resultantes del metabolismo celular, glóbulos rojos muertos, etc. y los utiliza para sintetizar la bilis, un líquido verdoso que sale de los lobulillos por los capilares biliares; éstos, al confluir entre sí, forman el **conducto hepático**; éste se junta con el **conducto cístico** y llegan a constituir un **conducto biliar común** o **colédoco**. El conducto biliar común, antes de su desembocadura en el intestino, se une con el conducto pancreático. En el extremo distal (o sea, el más separado de la vesícula) del conducto biliar común, se encuentra el esfínter de Oddi, que cuando está cerrado obliga a la bilis que se va formando a ascender por el conducto cístico y a acumularse en la vesícula biliar, que la cederá al intestino cuando el proceso digestivo lo requiera.

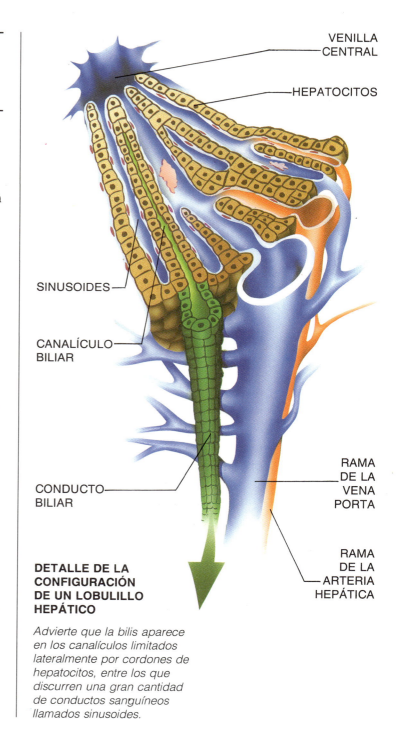

VENILLA CENTRAL

HEPATOCITOS

SINUSOIDES

CANALÍCULO BILIAR

CONDUCTO BILIAR

RAMA DE LA VENA PORTA

RAMA DE LA ARTERIA HEPÁTICA

DETALLE DE LA CONFIGURACIÓN DE UN LOBULILLO HEPÁTICO

Advierte que la bilis aparece en los canalículos limitados lateralmente por cordones de hepatocitos, entre los que discurren una gran cantidad de conductos sanguíneos llamados sinusoides.

¿Qué es la bilis?

La bilis es un líquido espeso, amarillo-verdoso y ligeramente <u>alcalino</u> compuesto básicamente por agua, sales biliares, sales inorgánicas, pigmentos biliares, ácidos biliares, grasas y colesterol. No contiene enzimas y sus más importantes constituyentes son:

■ **Sales biliares.** Además de proporcionar un pH básico a la bilis y a los productos intestinales, se encargan de emulsionar las grasas de los alimentos dividiéndolas en partículas más pequeñas, con lo que se favorece la acción digestiva de los enzimas intestinales. Las sales biliares también facilitan la absorción intestinal de las grasas.

■ **Pigmentos biliares: bilirrubina** y **biliverdina.** De color rojo y verde, respectivamente, son derivados de la hemoglobina. Concretamente, ambos pigmentos representan uno de los productos finales de la desintegración de los glóbulos rojos, excretados por vía biliar y vertidos al exterior junto con las heces fecales.

El hígado segrega diariamente entre 700 y 1.200 ml de bilis, pero esta cifra puede variar desde 250 ml hasta más de 1.000 ml.

El proceso que sigue la bilirrubina de la bilis una vez que ha llegado al intestino, es realmente interesante:

Ya en el intestino sufre una serie de reacciones debidas a la flora bacteriana intestinal, que conducen a la formación de la **estercorbilina**, que es el pigmento característico de las heces.

VESÍCULA BILIAR Y CONDUCTOS BILIARES

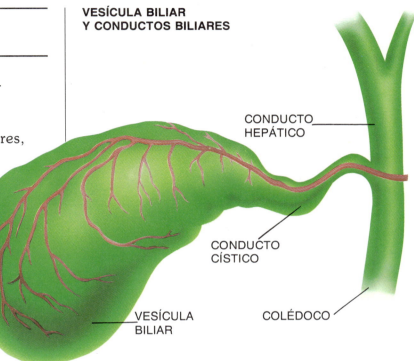

CONDUCTO HEPÁTICO

CONDUCTO CÍSTICO

VESÍCULA BILIAR

COLÉDOCO

Paralelamente, algunos de los productos intermedios de dicha transformación son absorbidos por la mucosa intestinal y devueltos al hígado, desde el cual son excretados de nuevo al intestino o llevados a los riñones donde se convierten en **urobilina**, que forma parte del pigmento propio de la orina, el **urocromo**, que el cuerpo humano excreta de un modo constante, excreción que se incrementa notablemente durante los estados febriles.

Como ves, el cuerpo humano es muy avaro de sus propios productos, como si quisiera asegurarse de que, cuando los excreta definitivamente, es porque, realmente, ya no le sirven para nada y se han convertido en productos nocivos.

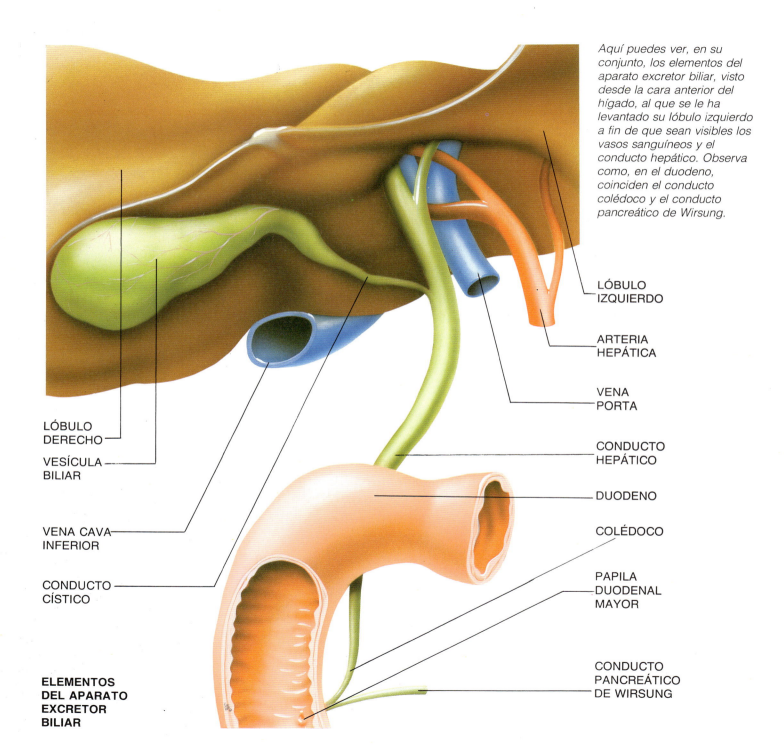

Aquí puedes ver, en su conjunto, los elementos del aparato excretor biliar, visto desde la cara anterior del hígado, al que se le ha levantado su lóbulo izquierdo a fin de que sean visibles los vasos sanguíneos y el conducto hepático. Observa como, en el duodeno, coinciden el conducto colédoco y el conducto pancreático de Wirsung.

LÓBULO
IZQUIERDO

ARTERIA
HEPÁTICA

VENA
PORTA

CONDUCTO
HEPÁTICO

DUODENO

COLÉDOCO

PAPILA
DUODENAL
MAYOR

CONDUCTO
PANCREÁTICO
DE WIRSUNG

LÓBULO
DERECHO

VESÍCULA
BILIAR

VENA CAVA
INFERIOR

CONDUCTO
CÍSTICO

**ELEMENTOS
DEL APARATO
EXCRETOR
BILIAR**

¿Qué papel desempeña la bilis?

A pesar de no contener ningún fermento digestivo, la bilis desempeña un papel muy importante en la digestión, colaborando activamente con el jugo pancreático y emulsionando las grasas para que puedan ser absorbidas.

Efectivamente, si no existiera la bilis las grasas, que son insolubles e impermeables, se eliminarían sin apenas aprovecharse. Es gracias a la acción de la bilis, que las convierte en una finísima emulsión, que las grasas pueden ser atacadas por la lipasa del páncreas, y ser absorbidas a través de las paredes intestinales. Como ves, la transformación de las grasas (su metabolismo al fin) queda muy ligado a la acción de la bilis que, si bien sólo es necesaria en el momento de realizarse la digestión, el hígado la genera continuamente, almacenándola en la vesícula biliar (conocida también como vesícula de la hiel), que tiene capacidad para recoger de 50 a 60 cm^3 de bilis concentrada, la cual es expulsada, en parte, en el momento en que las partículas de grasa pasan del estómago al intestino; así se emulsiona esa grasa y se estimula al páncreas a soltar sus jugos digestivos.

El conjunto de órganos que intervienen en este mecanismo recibe el nombre de **árbol biliar**. Éste se inicia en el conducto hepático, por el que la bilis sale del hígado para dirigirse, bien a la vesícula biliar mediante el conducto cístico, bien al duodeno mediante el conducto colédoco.

La bilis, además de su intervención en el metabolismo de las grasas, neutraliza la acidez de la masa digestiva y contribuye así a controlar la acidez gástrica, evitando la formación de úlceras gástricas y duodenales, si bien la principal acción neutralizadora se debe a la secreción bicarbonatada del páncreas.

A la bilis también se le atribuye una acción antiséptica sobre la flora microbiana intestinal y contribuye a dar el color marrón a las heces debido a que se oxida y oscurece a su paso por el intestino grueso: como hemos dicho, la bilirrubina se convierte en estercobilina, pigmento marrón.

Independientemente de la función neutralizadora de la acidez y de su acción antiséptica, la gran misión de la bilis es actuar sobre las grasas para convertirlas en una finísima emulsión, o sea, en una suspensión estable de gotas de grasa microscópicas en el jugo intestinal. De esta forma son absorbidas por los capilares linfáticos de las vellosidades del intestino delgado.

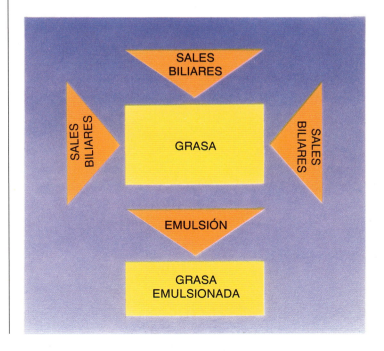

Almacén de energía e industria transformadora

Los alimentos, una vez absorbidos por las vellosidades intestinales del intestino delgado, se distribuyen por todo el organismo siguiendo dos caminos distintos:

■ **Las grasas,** descompuestas y vueltas a recomponer en el mismo intestino, son emulsionadas por la bilis y pasan a los capilares linfáticos. A través de ellos la finísima emulsión grasa va a parar a la linfa y a la sangre, que la distribuye por todo el organismo.

■ **Los alimentos no grasos** son absorbidos por los capilares sanguíneos, conducidos hasta la vena porta y llevados al hígado que los *almacena, modifica* y *distribuye*, según las necesidades de cada momento.

El hígado, por ejemplo, gracias a su acción sobre los hidratos de carbono, es un gran almacén de energía y puntual distribuidor de la misma. Recuerda que durante la digestión, los hidratos de carbono o azúcares son reducidos a glucosa, que es el material energético que llega al hígado conducido por la vena porta. ¿Qué hace el hígado con esta glucosa...?

Ante todo controla la cantidad de la misma que debe salir por la vena cava a fin de que la concentración de glucosa en la sangre se mantenga constantemente en el uno por mil.

En segundo lugar, transforma el excedente de glucosa en una sustancia comparable a un almidón, que puede ser almacenada en las células musculares y en las células del mismo hígado. Se trata del glucógeno.

Si, por algún motivo ingerimos pocos azúcares, el hígado realiza la función inversa, transforma el glucógeno en glucosa para mantener el uno por mil constante requerido. A esta doble función hepática se la denomina **función glucogénico-glucémica**.

Y cuando faltar el glucógeno, el hígado actúa como una fábrica de glucosa, sintetizándola a partir de los productos de la digestión de las grasas y proteínas.

Con respecto a las vitaminas (A, D y B_{12}, principalmente) el hígado actúa también como un almacén de reserva capaz de distribuir los excedentes cuando dichas vitaminas escasean.

En cambio, los aminoácidos que forman las proteínas, a diferencia de los azúcares y grasas, no se almacenan. Una parte pasa al torrente circulatorio y el resto se invierte en la síntesis de algunas proteínas que se fabrican en el hígado.

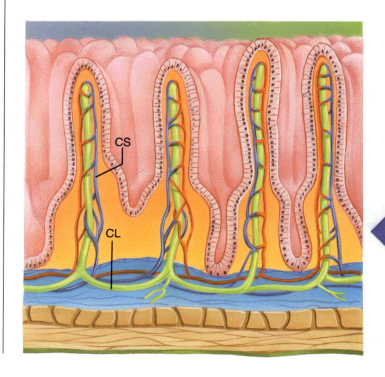

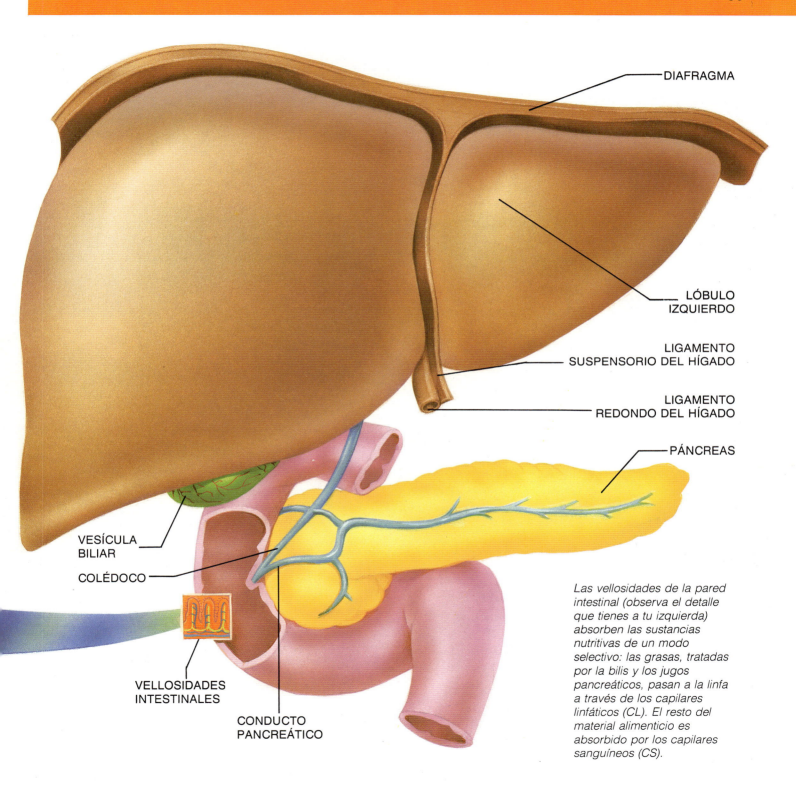

DIAFRAGMA

LÓBULO
IZQUIERDO

LIGAMENTO
SUSPENSORIO DEL HÍGADO

LIGAMENTO
REDONDO DEL HÍGADO

PÁNCREAS

VESÍCULA
BILIAR

COLÉDOCO

VELLOSIDADES
INTESTINALES

CONDUCTO
PANCREÁTICO

Las vellosidades de la pared intestinal (observa el detalle que tienes a tu izquierda) absorben las sustancias nutritivas de un modo selectivo: las grasas, tratadas por la bilis y los jugos pancreáticos, pasan a la linfa a través de los capilares linfáticos (CL). El resto del material alimenticio es absorbido por los capilares sanguíneos (CS).

El mejor «foie-gras», tan apreciado por los gastrónomos, es hígado de oca hipertrofiado. El pobre animal es alimentado intensamente (a través de un embudo introducido en su esófago) con piensos ricos en féculas, que favorecidas por la inmovilidad a que se ve forzado, convertirán su hígado en un enorme almacén de grasas. El abdomen de estas ocas acaba ocupado, casi exclusivamente por un enorme hígado. Como puedes ver, algunos «caprichos» humanos se consiguen a costa del sufrimiento de los animales.

¿Sabías que...

...el «foie-gras» es hígado hipertrofiado?

La capacidad de almacenamiento del hígado nos lleva a pensar en un alimento tan conocido como el «foie-gras», que se elabora a base del hígado hipertrofiado de pato o de cerdo. La hipertrofia se consigue al someter al animal a un exceso de alimentación y a un reposo forzoso para evitar que gaste lo que asimila. Tanto a los patos como a los cerdos se les ceba con piensos ricos en féculas.

En general, la hipertrofia del hígado se produce cuando se ingieren más grasas de las que se necesitan para satisfacer las necesidades energéticas del organismo. El resto se acumula, en forma de pequeñas gotitas, en el interior de las células adiposas, donde constituyen una preciosa reserva de combustible y también la causa de la obesidad, cuando la reserva es excesiva. También el hígado suele convertirse en uno de los lugares preferentes para la acumulación de grasas. Sucede que cuando el hígado contiene un exceso de glucógeno también lo convierte en grasa, lo que significa una importante concentración y la degeneración de las células hepáticas en depósitos de grasa que conduce a la hipertrofia, de gravísimas consecuencias.

Un eficaz colector depurador

Mientras se desarrollan los procesos relacionados con el metabolismo (incluyendo la formación de la bilis), aparecen una serie de subproductos: se trata de sustancias que el organismo no puede utilizar y de otras que son incluso francamente perjudiciales. A estas sustancias de «fabricación propia», deben añadirse todas aquellas que, sin ser alimenticias, acompañan a los alimentos, y también las que han vertido a la sangre los productos farmacéuticos con los que combatimos las enfermedades.

¿Qué hacer con todos estos «residuos»? También es el hígado el órgano que se encarga de ellos, a través de un proceso llamado de **desasimilación**.

Así, todas las impurezas (desechos y productos tóxicos) que pueden aparecer en la sangre, procedan de donde procedan, son cuidadosamente aisladas por el hígado y eliminadas por los órganos destinados a este fin, no sin antes haber sido transformadas en sustancias inocuas mediante procesos de desintoxicación. Un buen ejemplo lo tenemos en el tratamiento que reciben los eritrocidos envejecidos: al llegar al hígado son destruidos y el hierro que contienen extraído y guardado para que pueda ser reutilizado por los nuevos glóbulos rojos que va a sustituir a los antiguos. La membrana celular de los glóbulos rojos es eliminada y sus constituyentes aprovechados en la formación de la bilis.

En definitiva: un hígado sano es el mejor

guardián que puede existir contra toda clase de sustancias tóxicas, siendo de sentido común no sobrecargarlo de trabajo con una alimentación excesiva, inadecuada o adulterada.

Bernardo está haciendo «oposiciones» para convertir su hígado en un magnífico «foie-gras». Demasiados hidratos de carbono, demasiadas grasas y, por encima de todo, demasiadas horas de sillón «pegado» al televisor. Con lo mucho que come y lo poco que se mueve, ¡pobre hígado!

Una fantástica capacidad de regeneración

Cada célula hepática es algo similar a un laboratorio por la cantidad de funciones que puede llegar a realizar. Pero una de las propiedades más importantes de la célula hepática es su capacidad y facultad de reproducirse, cuando es necesario, para reemplazar aquellas células vecinas del lobulillo hepático que, por la causa que fuere, se han degenerado o muerto.

El hepatocito tiene normalmente una vida de duración muy limitada (de 3 a 500 días), pero, en cambio, su desaparición es rápidamente cubierta: cada célula muerta es reemplazada por la división de una célula vecina. Esta recuperación permanente puede darse de un modo apacible o de golpe. Nos explicaremos mejor: cuando el hígado es víctima de una agresión o enfermedad, una parte del tejido hepático queda afectado de necrosis, es decir, mueren de repente millones de hepatocitos, mientras se pone en marcha el verdadero mecanismo de regeneración del tejido hepático, para recomponer los lobulillos inservibles. En cuatro meses, aproximadamente, se regenera totalmente un hígado, al que se le han extirpado químicamente las tres cuartas partes de su volumen. Los hepatocitos, que en este período han tenido una actividad reproductora anormal, «saben» en qué momento deben pararla. El hígado es el único órgano humano con capacidad de regeneración masiva.

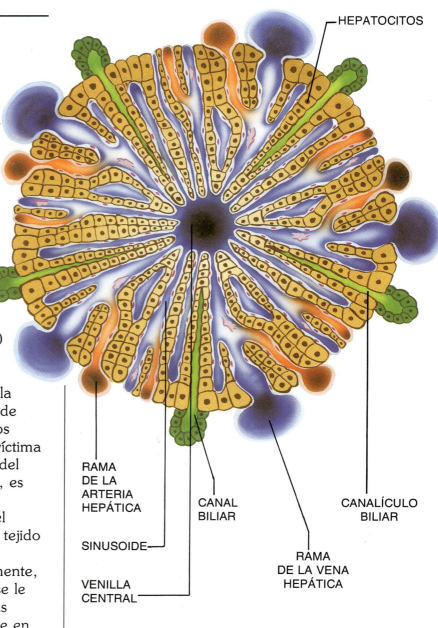

HEPATOCITOS

RAMA DE LA ARTERIA HEPÁTICA

SINUSOIDE

VENILLA CENTRAL

CANAL BILIAR

RAMA DE LA VENA HEPÁTICA

CANALÍCULO BILIAR

SECCIÓN TRANSVERSAL DE UN LOBULILLO HEPÁTICO

¿Qué es la ictericia?

La ictericia es el síntoma más llamativo y frecuente de las enfermedades hepático-biliares, y consiste, como ya hemos comentado, en una coloración amarillo-verdosa de la piel, las mucosas y demás tejidos orgánicos, ocasionada por la presencia de pigmentos biliares en la sangre, como la bilirrubina, que se deposita en dichos tejidos.

Esta coloración puede alcanzar diferentes grados de intensidad, desde un tono amarillo intenso hasta un ligero tono amarillento casi imperceptible. Las zonas del cuerpo que más suelen pigmentarse, son el vientre, el pecho, las uñas, los labios, el paladar, los pómulos y el blanco de los ojos. En los casos poco acentuados sólo es visible cuando se examina el blanco de los ojos con luz natural.

La ictericia es el resultado de distintos procesos morbosos, que determinan ictericias de distinto origen:

■ **La ictericia obstructiva**, que aparece como consecuencia de la obstrucción de los conductos biliares.

■ **La ictericia hepática**, debida a una grave enfermedad de los tejidos hepáticos.

■ **La ictericia hemolítica**, originada por una excesiva destrucción de glóbulos rojos, con la consiguiente liberación exagerada de hemoglobina que, como sabes, se convierte, en el hígado, en pigmentos biliares.

Uno de los casos más conocidos y curiosos es el de los bebés. Uno de cada tres suele atravesar un período de ictericia fisiológica poco después del nacimiento, alrededor del tercer día de vida. Suele ser signo de una insuficiencia transitoria del hígado y, por lo general, cede rápidamente y sin dejar secuelas. En casos especiales, quizás se requiera un tratamiento de fototerapia u otros procedimientos.

¡Pobre Nicolas! Su estado febril va acompañado de una evidente coloración amarillo-verdosa de su piel: una ictericia que, seguramente, desaparecerá en poco tiempo. Sin embargo, deberá determinarse la causa de su aparición a fin de conocer su justa importancia.

¿Cómo y por qué se forman los cálculos biliares?

En los países occidentales, como el nuestro, se dan cifras muy altas de cálculos biliares: del orden del 10 al 30 % de la población. En África y en los países orientales, el porcentaje es mucho más bajo.

Pero ¿qué es un cálculo?

Dado el proceso de concentración de la bilis muchas de las sustancias contenidas en la misma, como el colesterol y los pigmentos biliares, se hallan en cantidades muy próximas a las máximas que el líquido puede contener disueltas en él. Se dice que están casi en su punto de saturación y bastará un ligero aumento de las mismas para que se formen pequeñas concentraciones sólidas en forma de sucesivas capas concéntricas del material que ya no puede disolverse. Una de estas formaciones sólidas («piedras») son los cálculos de colesterol, de color céreo brillante.

El número de cálculos que pueden formarse es muy variado, pues aunque a veces se forma uno solo, que puede llegar a ser del tamaño de un huevo de gallina, lo más frecuente es que se formen varios de ellos, incluso centenares, de formas y tamaños muy diversos.

Lo más frecuente es que los cálculos permanezcan en el fondo de la vesícula pasando totalmente inadvertidos, hasta que se produce el cólico biliar.

Pero no sólo es el exceso de colesterol la causa de la formación de cálculos biliares. Hay otras causas, como el exceso de absorción del agua de la bilis o la absorción de ácidos biliares. Sin embargo, los más frecuentes son los cálculos de colesterol.

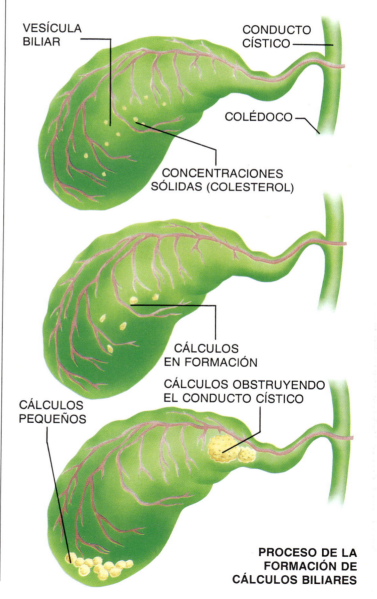

VESÍCULA BILIAR

CONDUCTO CÍSTICO

COLÉDOCO

CONCENTRACIONES SÓLIDAS (COLESTEROL)

CÁLCULOS EN FORMACIÓN

CÁLCULOS OBSTRUYENDO EL CONDUCTO CÍSTICO

CÁLCULOS PEQUEÑOS

PROCESO DE LA FORMACIÓN DE CÁLCULOS BILIARES

El típico ataque de hígado

El **cólico biliar**, llamado también ataque de hígado o ataque de piedra del hígado, aparece bruscamente cuando, a consecuencia de las contracciones naturales de la vesícula después de las comidas, un cálculo se desplaza o penetra en el conducto de salida, donde queda atascado.

Sin embargo, mientras no se presenta el ataque, el individuo se encuentra bien: siente tan solo dolores muy suaves en la región del hígado y estómago después de las comidas, y falta de apetito. Cuando el ataque se presenta, aparecen dolores continuos, las náuseas, vómitos, dolores a la palpación y, algunas veces, ligera ictericia y presencia de pigmentos biliares en la orina.

También se agudizan los dolores, que aparecen después de las comidas: empiezan en el **punto colecístico** y luego se irradian hacia atrás, hacia la región del estómago y hacia el hombro derecho.

El ataque siguiente puede presentarse sin avisar, a veces pocos días después, especialmente si no se evita una alimentación inadecuada o abundante. A veces, si la vesícula está repleta de cálculos, se hace inevitable una intervención quirúrgica.

Una afección biliar muy frecuente y también asociada a la presencia de cálculos en la vesícula, es la **colecistitis** o inflamación de la vesícula biliar. Se cree que, en la mayoría de los casos, se debe a la irritación producida por una bilis demasiado concentrada, como consecuencia de una obstrucción parcial o completa de los conductos biliares.

En el dibujo tienes situado el llamado punto colecístico, a partir del cual se irradia el dolor producido por un cólico biliar y, en general, por los procesos morbosos localizados en la vesícula, debidos, en la mayoría de los casos, a la presencia en ella de cálculos más o menos voluminosos.
Se dan casos, en los que un solo cálculo llena por completo la cavidad de la vesícula biliar.

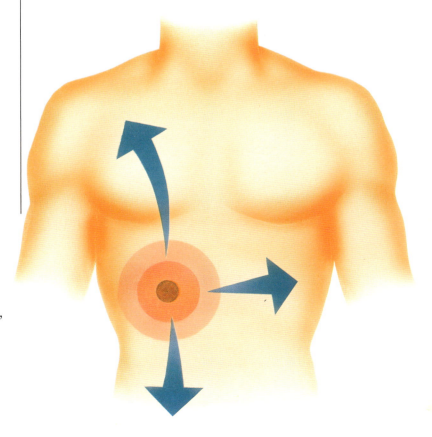

Los tipos de hepatitis

Cuando hablamos de hepatitis estamos hablando de inflamación de las células hepáticas, cualquiera que sea su causa e importancia. Pero ya que las formas más comunes de esta enfermedad son las producidas por virus, tomaremos como base de estudio las que son consecuencia de las infecciones por virus A y B.

■ **Hepatitis A o infecciosa** es la más extendida, ataca anualmente a millones de personas aunque, afortunadamente, es la hepatitis más benigna de todas. Casi siempre se halla asociada a la falta de higiene, transmitiéndose por los alimentos y bebidas contaminadas. Es la denominada transmisión oral-fecal.

El enfermo o, mejor dicho, el portador del virus, lo elimina junto con sus heces fecales, y si no existe un correcto tratamiento de las aguas residuales lo más probable es que este virus, que se multiplica con extraordinaria rapidez, llegue a una fuente y contamine frutas y verduras, con cuyo consumo volverá a repetirse este proceso y, con él, una cadena ininterrumpida que en algunos lugares convierte a la hepatitis A en una enfermedad endémica muy difícil de erradicar. Por este motivo este tipo de hepatitis provoca también verdaderas epidemias, de las que puede servir de ejemplo la que asoló la India no hace demasiados años, debida a la contaminación de las aguas del río Ganges.

■ **Hepatitis B.** Generalmente se transmite mediante las transfusiones de sangre y con las jeringas hipodérmicas no esterilizadas portadoras del virus B. Por esto se la conoce como hepatitis sérica o de inoculación, aunque también se

contagie por la saliva y otros tipos de contacto.

La presencia del virus B se detecta mediante un análisis de sangre, con lo cual, en las donaciones y en los bancos de sangre, se realizan pruebas suficientes para garantizar la ausencia de este tipo de hepatitis en el plasma sanguíneo destinado a presuntas transfusiones. La hepatitis B no se contagia por vía oral-fecal.

El mayor problema de la hepatitis es la resistencia y vitalidad de los virus, realmente extraordinarias. Se calcula que en el exterior y a temperaturas de 10 °C pueden vivir hasta un año. Pero, además, en la hepatitis sérica el virus puede estar presente en la sangre de personas que no la hayan padecido jamás, gracias a que sus mecanismos de defensa son lo bastante fuertes para preservarlas.

Dentro de las enfermedades hepáticas vale la pena conocer la existencia de las llamadas **hepatitis tóxicas**. Son lesiones hepáticas producidas por la acción de agentes químicos, ingeridos o inhalados. Son, pues, hepatitis no víricas, debidas a sustancias llamadas **hepatotoxinas**, entre las que se cuentan el tetracloruro de carbono, el cloroformo, el veneno de la seta Amanita phalloides y, desde luego, el alcohol, el gran enemigo del hígado humano.

Las hepatotoxinas producen acumulación de grasa y necrosis de los hepatocitos. Por lo general se trata de intoxicaciones moderadas fácilmente recuperables gracias al gran poder de regeneración de las células hepáticas. En casos muy graves, puede sobrevenir la cirrosis.

Los miles de peregrinos que acuden a practicar su baño ritual a las orillas del río sagrado de la India (el Ganges) hacen de esta gran vía fluvial uno de los focos epidémicos más conocidos del mundo. Grandes epidemias de hepatitis A han tenido su origen en las aguas del Ganges a su paso por Benarés, la ciudad santa del hinduismo.

Más vale prevenir que curar

Consejos para mantener la salud del hígado

Veamos a continuación una serie de consejos válidos por igual para aquellas personas afectadas de transtornos hepáticos como para quienes deseen evitarlos. No se trata de enumerar todo lo que puede ser perjudicial para el hígado, sino tan sólo de hacer un breve listado de aquellos «vicios» y «sanas costumbres» que, por lo «normales» que nos parecen, no suelen entrar en nuestros cálculos.

Lo que no debe hacerse

1. Desorden en el horario de comidas.
2. Ingerir bebidas alcohólicas.
3. Tomar excesivamente el sol.
4. La automedicación.
5. Comer conservas, mariscos, embutidos, carnes, grasas y demás alimentos perjudiciales para el hígado.
6. Irregularidad en el descanso y cansancio excesivos.
7. Pasar frío y enfriarse.
8. El estreñimiento.
9. La vida sedentaria.

Ordenados de más a menos, según la frecuencia con que suelen ser cometidos, ilustramos los cinco «vicios» más practicados por los individuos de una sociedad, la nuestra, que, poco a poco, han adquirido una serie de costumbres que en nada benefician la salud de uno de los órganos más importantes del cuerpo humano: el hígado.

Lo que puede hacerse

1. Llevar una vida ordenada y metódica, especialmente en lo que se refiere a las horas de las comidas.

2. Trabajar moderadamente y con regularidad, es decir sin excederse ni en el horario ni en el esfuerzo.

3. Protegerse contra el frío, tanto en la calle como en casa y en el trabajo.

4. Dormir lo necesario (aproximadamente ocho horas diarias).

5. Vigilar el regular y normal funcionamiento del intestino.

6. En caso de vida sedentaria, realizar cada día un paseo de una hora como mínimo, o, en su defecto, dedicar cada mañana 15 o 30 minutos a realizar ejercicios físicos.

7. Beber corrientemente agua, de preferencia mineral y fuera de las comidas.

8. Alimentarse de forma natural y bien dosificada.

9. Acudir al médico cuando se prevea la indisposición hepática.

Cómo prevenir la hepatitis

Como ya hemos comentado anteriormente la hepatitis A se asocia con la falta de higiene y las deficiencias en el saneamiento de las ciudades. Su prevención es, por tanto, un problema de salud pública en el que debe privar el correcto tratamiento de las aguas residuales.

Desde el punto de vista personal se recomienda un cuidadoso lavado de todas las frutas y verduras que deban consumirse crudas, y mejor si se hace con agua a la que se hayan añadido dos o tres gotas de lejía por litro. Además es necesario lavarse bien las manos con jabón siempre que se utiliza el servicio, o cuando se haya estado en contacto con personas presumiblemente portadoras del virus.

Cuando aparece algún caso de hepatitis infecciosa en la familia, lo más prudente es exagerar al máximo la higiene, incluso desinfectando con lejía los platos, cubiertos, ropas y toda clase de enseres que hubieran podido entrar en contacto con el enfermo, si bien no resulta lógico un aislamiento demasiado rígido, habida cuenta de que la fase de mayor contagio coincide con el tiempo de incubación, cuando la enfermedad aún no ha podido ser diagnosticada.

En relación a la hepatitis B, las medidas tomadas en el caso anterior son perfectamente válidas. En cuanto a la necesidad de aislar al enfermo, será una medida preventiva para aquellos que no hayan estado en contacto con él durante la incubación, puesto que la hepatitis B es altamente contagiosa.

Lavar las frutas y verduras con agua clorada (dos o tres gotas de lejía por cada litro de agua), es una costumbre preventiva muy eficaz para evitar las hepatitis y otras enfermedades infecciosas que se contagian, normalmente, por transmisión oral-fecal.

La cirrosis irreversible

Cuando se declara una hepatitis como consecuencia de un ataque vírico, es de prever que numerosas células hepáticas se destruyan, pero también es previsible que cuando dicho ataque haya sido controlado, las células vecinas a las destruidas empezarán a dividirse para regenerar el tejido hepático ocupado por los hepatocitos muertos, restableciéndose así la normalidad en las funciones del hígado.

Pero, a veces, ocurre que la destrucción de las células hepáticas supera las posibilidades de regeneración; entonces gran parte de los espacios vacíos son ocupados por células de tipo conjuntivo, que, al ser incapaces de llevar a cabo el trabajo multifuncional de las células hepáticas, se convierten en un serio obstáculo para la circulación de los líquidos vitales.

Este proceso, si es descubierto y tratado antes de llegar a límites extremos, puede ser controlado. En caso contrario el hígado se transforma en una masa dura y fibrosa, incapaz de realizar sus funciones y que impide la circulación de la sangre en su interior. En estos casos el proceso de destrucción es irreversible.

Este mecanismo por el que se destruyen las células hepáticas recibe el nombre de **cirrosis**, una terrible enfermedad que, en España, tiene una causa mayoritaria: el alcohol, el enemigo número uno de nuestro hígado. En nuestro país, «beber» es una «costumbre social» y en él hay muchos alcohólicos que ni siquiera saben que lo son.

El alcoholismo no sólo es una lacra social. El alcohólico es un enfermo digno de lástima, tanto por el hecho evidente de la degradación de su personalidad, como por ser un seguro candidato a acabar sus días con el hígado destrozado por una cirrosis que le provocará grandes sufrimientos.

La central depuradora y la eliminación de residuos

Los sistemas de excreción

La actividad de las células da lugar a la formación de sustancias nocivas, que es necesario eliminar.

Nuestro organismo ha solucionado este problema absorbiendo unas sustancias, de modo que puedan volver a ser utilizadas, y eliminando otras al exterior.

La eliminación de sustancias nocivas se lleva a cabo por cuatro vías:

■ **Por la respiración.** En cada espiración, expulsamos dióxido de carbono, subproducto de la respiración celular, y vapor de agua.

■ **Por el sudor.** Con el sudor segregado por las glándulas sudoríparas se eliminan agua y sales minerales por los poros de la piel.

■ **Por las heces.** Como producto de desecho de la digestión, se expulsan sustancias en forma de heces.

■ **Por el aparato urinario.** El aparato excretor propiamente dicho, dedicado de forma exclusiva a eliminar las sustancias nocivas, es el aparato urinario, formado por:

- Los **riñones**.
- Los **uréteres**.
- La **vejiga**.
- La **uretra**.

POR LA RESPIRACIÓN

PULMONES

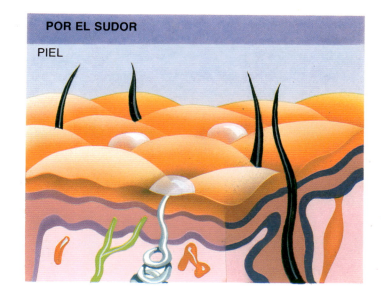

POR EL SUDOR

PIEL

El aparato urinario

La función del aparato urinario o aparato excretor es filtrar la sangre y eliminar los residuos del *metabolismo*.

Como sabes, el metabolismo es el conjunto de transformaciones que experimentan los alimentos hasta convertirse en sustancias asimilables; durante estas transformaciones, las células obtienen la energía que necesitan para llevar a cabo sus funciones.

En el metabolismo, se producen sustancias nocivas, que, a través de la sangre, pasan a los riñones, los órganos básicos del aparato urinario. Éstas son las funciones principales de los riñones:

• Filtran la sangre, reteniendo agua y sustancias nocivas.

• Con el agua y las sustancias nocivas se forma la orina, que es eliminada del interior del organismo por el resto del aparato urinario.

La orina sigue el siguiente recorrido:

• Desciende por los uréteres hasta la vejiga.
• Se almacena en la vejiga.
• Se elimina a través de la uretra.

En las próximas páginas, podrás ver cómo filtran los riñones la sangre y cómo se forma la orina con los productos de desecho; conocerás, en definitiva, el funcionamiento de la central depuradora y del sistema de eliminación de residuos de nuestro organismo.

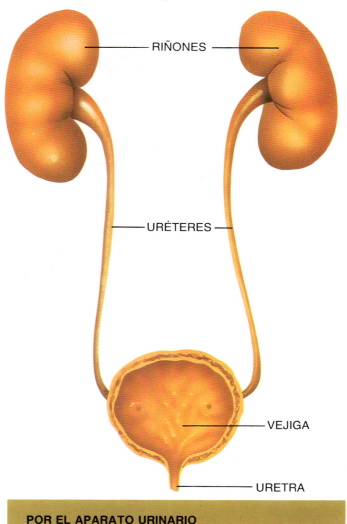

RIÑONES

URÉTERES

VEJIGA

URETRA

POR EL APARATO URINARIO

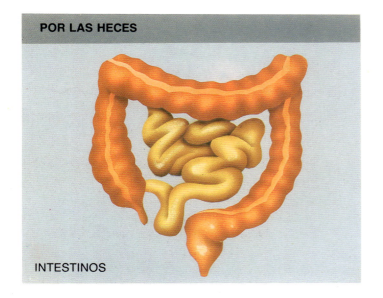

POR LAS HECES

INTESTINOS

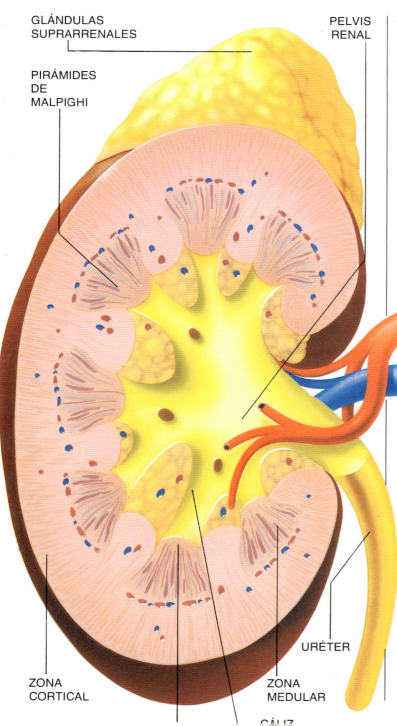

GLÁNDULAS
SUPRARRENALES

PIRÁMIDES
DE
MALPIGHI

PELVIS
RENAL

ZONA
CORTICAL

ZONA
MEDULAR

URÉTER

CÁLIZ

Cómo son los riñones

Los riñones son dos órganos de color rojo oscuro y de forma parecida a una habichuela; están situados en la cavidad abdominal, uno a cada lado de la columna vertebral y algo adelantados con respecto a ésta.

Los tejidos que forman cada riñón determinan en él formaciones especializadas muy distintas. En cada riñón, distinguimos:

■ **Una cápsula** exterior, que lo recubre, de color blanquecino.

■ **La zona cortical.** Es la parte externa, lisa y de color amarillento.

■ **La zona medular.** Es la parte interna, de color rojizo. No es lisa como la externa, sino que presenta numerosos pliegues, dirigidos hacia el lado interior del riñón, que finalizan en unas papilas, formadas por *pirámides de Malpighi*.

■ **La pelvis renal.** Es la parte del riñón que comunica con el uréter.

Desde las papilas o pirámides de Malpighi, a través de unas terminaciones llamadas cálices, los conductos que provienen del resto del riñón forman la pelvis renal.

La función de la pelvis renal es recoger la orina, que se fabrica en una parte más interna del riñón: la **nefrona**.

■ **Las glándulas suprarrenales.** No son una parte del riñón. Se trata de dos órganos con funciones diferentes a las que tiene el riñón.

Situadas sobre cada riñón, su misión, como la del resto de las glándulas endocrinas del organismo, es producir *hormonas*, con importantes y distintas funciones.

Dos glándulas «invitadas»

Las glándulas suprarrenales son dos *glándulas endocrinas* o de secreción interna. Están formadas por una parte exterior, o *corteza suprarrenal*, y una parte interior, o *médula suprarrenal*. Cada una de las dos partes produce **hormonas** distintas, que se distribuyen por todo el cuerpo para regular y coordinar diferentes funciones.

La corteza suprarrenal fabrica una importante hormona: la **cortisona**.

La cortisona regula sobre todo el metabolismo de los hidratos de carbono, las grasas y las proteínas. Interviene también en el mantenimiento del equilibrio de agua y de sales minerales en el organismo.

La médula suprarrenal fabrica, entre otras hornomas, la **adrenalina**.

La adrenalina regula el funcionamiento del corazón y la dilatación o la contracción de los vasos sanguíneos, actúa sobre el sistema nervioso y el sistema muscular, y condiciona la reacción del organismo ante el peligro.

Las emociones intensas y, en general, cualquier circunstancia que suponga un peligro desencadena la liberación de adrenalina, que activa el corazón, da lugar a un mayor aporte de sangre a los tejidos, provoca la contracción de los músculos, y proporciona al organismo la energía suplementaria que necesita para reaccionar ante situaciones de peligro.

Cómo funcionan los riñones

Se llama **nefrona** a la parte más pequeña de la estructura del riñón, responsable del funcionamiento de éste; en cada riñón, hay más de un millón de nefronas.

En la zona medular del riñón, existen numerosos vasos sanguíneos, que se ramifican hasta convertirse en delgadísimos capilares sanguíneos.

Los distintos grupos de capilares sanguíneos rodean, como si formaran un ovillo, una especie de minúsculas bolitas, llamadas **glomérulos de Malpighi**. Deben su nombre a Marcelo Malpighi, el médico que, en 1678, descubrió por primera vez su existencia.

Los glomérulos de Malpighi tienen forma esférica u oval y son muy pequeños: su diámetro es de 1 o 2 décimas de milímetro y se hallan en la zona cortical del riñón.

Cada glomérulo de Malpighi está recubierto por una membrana, llamada **cápsula de Bowman**. En la cápsula de Bowman penetra una pequeña arteria, que se ramifica en los numerosos capilares que rodean el glomérulo.

• La sangre entra por la pequeña arteria en la cápsula de Bowman y se distribuye por la red de capilares sanguíneos que envuelve el glomérulo; a través de las delgadísimas paredes de los capilares, la sangre se desprende del agua y de las sustancias nocivas que contiene.

La sangre limpia y filtrada pasa a la red de capilares sanguíneos que rodea el glomérulo y de éstos, es recogida por venas cada vez más grandes, hasta desembocar en la **vena renal**. De cada riñón, sale una vena renal, que lleva la sangre, libre ya de muchas sustancias tóxicas, a la *vena cava inferior*.

La sangre filtrada en los riñones irá, por último, a los pulmones, porque, una vez eliminadas las sustancias de desecho, debe ser oxigenada, como toda la sangre venosa cargada de gas carbónico.

• El agua y las sustancias de desecho de la sangre pasan a través de la delgada membrana que forma la cápsula de Bowman.

Entran entonces en un conducto que rodea cada cápsula de Bowman, llamado *túbulo contorneado proximal*. Cada uno de estos túbulos tiene un largo tramo recto, que finaliza en una pequeña curva, denominada *asa de Henle*, que se continúa a través del *túbulo contorneado distal*.

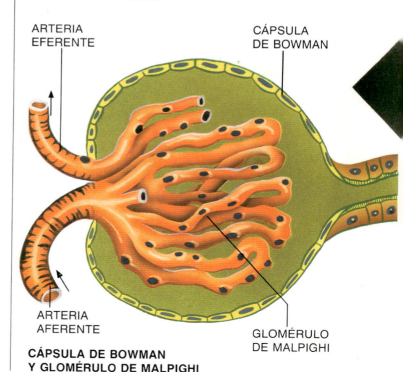

ARTERIA EFERENTE

CÁPSULA DE BOWMAN

ARTERIA AFERENTE

GLOMÉRULO DE MALPIGHI

CÁPSULA DE BOWMAN Y GLOMÉRULO DE MALPIGHI

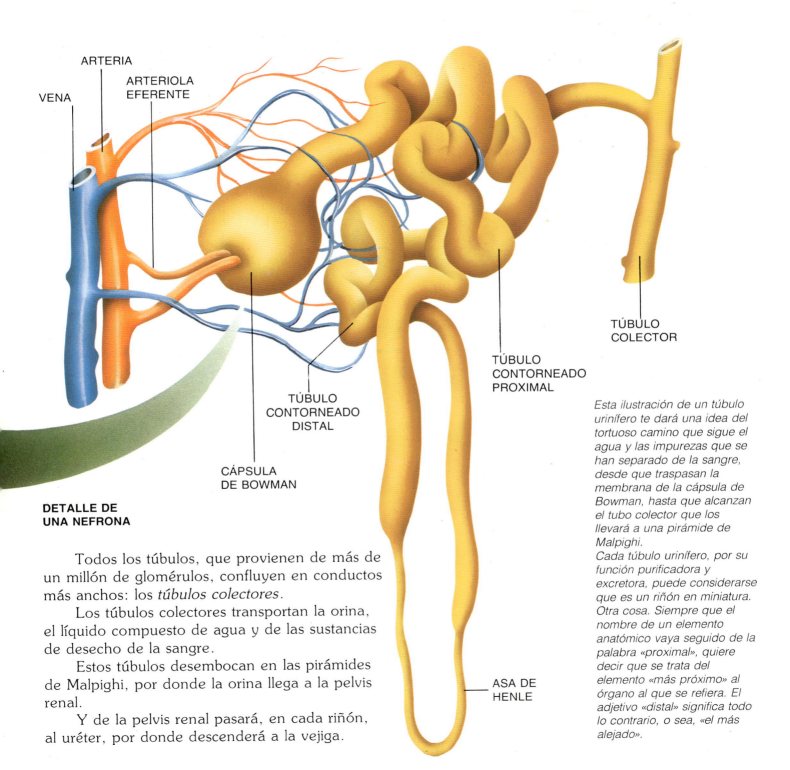

VENA

ARTERIA

ARTERIOLA
EFERENTE

TÚBULO
COLECTOR

TÚBULO
CONTORNEADO
PROXIMAL

TÚBULO
CONTORNEADO
DISTAL

CÁPSULA
DE BOWMAN

ASA DE
HENLE

**DETALLE DE
UNA NEFRONA**

Todos los túbulos, que provienen de más de un millón de glomérulos, confluyen en conductos más anchos: los *túbulos colectores*.

Los túbulos colectores transportan la orina, el líquido compuesto de agua y de las sustancias de desecho de la sangre.

Estos túbulos desembocan en las pirámides de Malpighi, por donde la orina llega a la pelvis renal.

Y de la pelvis renal pasará, en cada riñón, al uréter, por donde descenderá a la vejiga.

Esta ilustración de un túbulo urinífero te dará una idea del tortuoso camino que sigue el agua y las impurezas que se han separado de la sangre, desde que traspasan la membrana de la cápsula de Bowman, hasta que alcanzan el tubo colector que los llevará a una pirámide de Malpighi.

Cada túbulo urinífero, por su función purificadora y excretora, puede considerarse que es un riñón en miniatura. Otra cosa. Siempre que el nombre de un elemento anatómico vaya seguido de la palabra «proximal», quiere decir que se trata del elemento «más próximo» al órgano al que se refiera. El adjetivo «distal» significa todo lo contrario, o sea, «el más alejado».

Las vías urinarias

Los riñones son la central depuradora de nuestro organismo; en ellos, como hemos visto, se filtra la sangre para que circule de nuevo por el cuerpo, y con las sustancias nocivas que contiene, urea y algunas sales, sobre todo, se forma la orina, en cuya composición, como veremos, el agua es la sustancia que más abunda.

Luego el organismo debe desprenderse de estas sustancias nocivas a través de las distintas partes del aparato urinario: los *uréteres*, la *vejiga* y la *uretra*.

Los uréteres

Los uréteres son dos conductos de 25 a 30 cm, que unen cada uno de los riñones con la vejiga urinaria.

Las paredes de los uréteres están formadas por dos capas:

■ **La capa mucosa.** Recubre la parte interna del uréter.

■ **La capa muscular.** Está formada por tejido muscular liso, gracias al cual el uréter puede contraerse. Como el tubo digestivo, tiene *movimientos peristálticos*, que impulsan la orina hacia la vejiga.

En cada riñón, el extremo superior del uréter es la continuación de la pelvis renal y el extremo inferior comunica con la vejiga.

La orina formada por los glomérulos de Malpighi es transportada por los túbulos renales hasta la pelvis renal. Desde la pelvis renal entra en el uréter, por donde desciende de modo continuo hasta que llega a la vejiga donde queda almacenada.

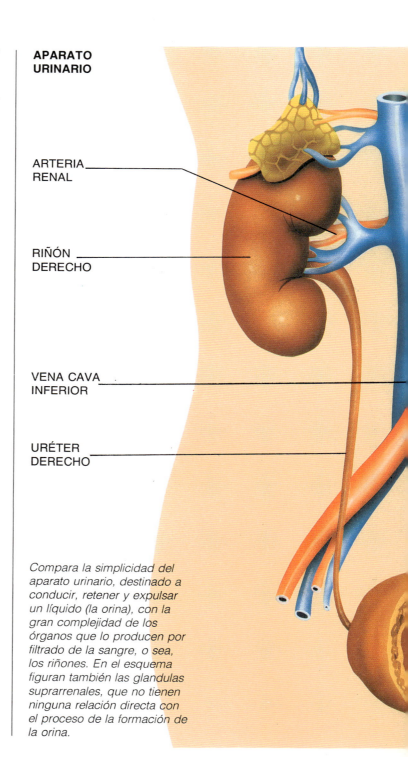

APARATO URINARIO

ARTERIA RENAL

RIÑÓN DERECHO

VENA CAVA INFERIOR

URÉTER DERECHO

Compara la simplicidad del aparato urinario, destinado a conducir, retener y expulsar un líquido (la orina), con la gran complejidad de los órganos que lo producen por filtrado de la sangre, o sea, los riñones. En el esquema figuran también las glándulas suprarrenales, que no tienen ninguna relación directa con el proceso de la formación de la orina.

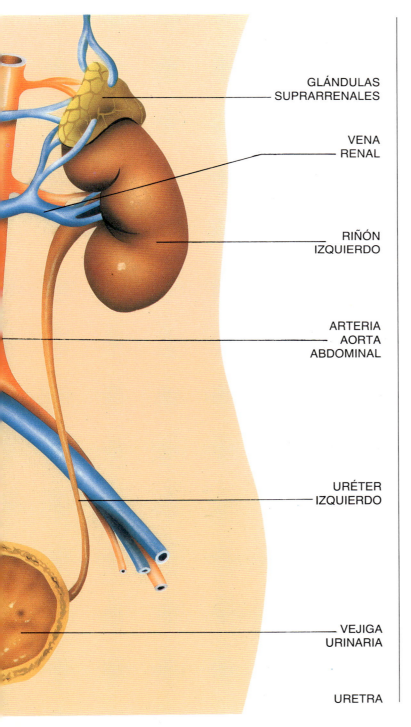

GLÁNDULAS
SUPRARRENALES

VENA
RENAL

RIÑÓN
IZQUIERDO

ARTERIA
AORTA
ABDOMINAL

URÉTER
IZQUIERDO

VEJIGA
URINARIA

URETRA

La vejiga

La vejiga es una especie de saco elástico, formado por una membrana de tejido muscular.

Está situada en la parte inferior del abdomen, detrás del pubis, y su función es la de almacenar la orina que desciende por los dos uréteres.

El tejido muscular que forma la vejiga da a este órgano una gran elasticidad, que hace posible que contenga un gran volumen de orina. La capacidad normal de una vejiga urinaria humana varía desde unos 175 cm^3 a 250 cm^3.

En la vejiga, hay dos músculos, llamados *esfínteres*; impiden la salida de la orina hasta que la vejiga está llena.

Un esfínter se encuentra dentro de la vejiga, alrededor del orificio de la uretra, el siguiente conducto del aparato urinario. Es el esfínter interno, de acción involuntaria. El otro esfínter está en la uretra, a unos 2 cm por debajo del anterior. Se trata del esfínter externo, que podemos contraer a voluntad.

La distensión de la vejiga cuando está llena es una de las causas de que surja el deseo de orinar, lo que provoca la contracción del músculo verical y la relajación del esfínter interno. Y cuando de forma voluntaria relajamos el esfínter externo y se abren los dos orificios, la orina desciende por la uretra. También intervienen otros factores, que te explicaremos en las próximas páginas.

La uretra

La uretra es el conducto que comunica la vejiga con el exterior.

Las uretras del hombre y de la mujer son diferentes, a causa de la distinta estructura de sus órganos de reproducción.

La uretra femenina mide unos 4 cm y la del hombre de 18 a 20 cm.

La central de mando

¿Cómo se produce el deseo de orinar?

Cuando la vejiga urinaria está llena, la distensión de sus paredes origina una serie de estímulos nerviosos, que se dirigen hacia la médula espinal y al cerebro.

El cerebro envía entonces las órdenes necesarias para que se relaje el esfínter externo, situado, como se ha dicho, en la parte superior de la uretra.

Este esfínter se abre, al mismo tiempo que se contraen las paredes de la vejiga. La orina contenida en ésta pasa entonces por los dos esfínteres abiertos hacia la uretra y la vejiga se vacía.

Para que el aparato urinario funcione correctamente, debe existir un equilibrio en el volumen de agua contenido en el cuerpo.

El agua es además de vital importancia para que el organismo realice las funciones metabólicas con normalidad. Y dado que una considerable cantidad se pierde constantemente a través del sudor, por la respiración, con las heces y con la orina, si no ingerimos una cantidad de líquido suficiente, el organismo puede sufrir una deficiencia de agua, que, en casos extremos, podría causar una grave *deshidratación*.

Por ello, el **mecanismo de la sed** es de gran importancia para mantener el equilibrio de agua en el cuerpo.

La sensación de la sed se produce en el llamado «centro de la sed», situado en el hipotálamo.

Además de provocar el deseo de beber, a través de la sed, el hipotálamo estimula la fabricación de la *hormona antidiurética*.

Esta hormona actúa directamente sobre los riñones, para que éstos retengan más agua y se elimine menos orina.

Es otro mecanismo que se pone en marcha en nuestro cuerpo para evitar que se pierda demasiado líquido por el aparato urinario cuando el organismo lo necesita.

PERITONEO

PRÓSTATA

URETRA

VEJIGA LLENA

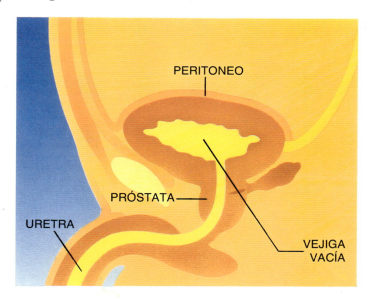

PERITONEO

PRÓSTATA

URETRA

VEJIGA VACÍA

1

2

3

Hay diversos estímulos que activan el «centro de la sed».

■ **La sequedad de boca.** En la boca y en la garganta, existen unos receptores sensitivos especiales, que se activan cuando dichas zonas se resecan.

Entonces envían señales por vía nerviosa al centro de la sed y se desencadena el deseo de beber.

■ **Por el calor.** En verano, tienes más sed porque el calor dilata los vasos sanguíneos de la piel, lo que incrementa la pérdida de agua a través del sudor.

La sed es un aviso del organismo de que debes reponer esa pérdida.

■ **Lo dulce y lo salado.** Si tomamos alimentos muy dulces o muy salados, la *glucosa* o el *sodio* que, respectivamente, contienen pasan a la sangre y atraen al interior de los vasos sanguíneos parte del agua contenida en las células.

Se produce entonces un ligero estado de *deshidratación celular*, que es el estímulo básico para el centro de la sed.

En los esquemas de la página anterior, además de la vejiga urinaria, llena y vacía para que puedas apreciar su gran elasticidad, queda indicada la posición de la próstata.
Es una glándula exclusivamente masculina que tiene relación con el aparato reproductor del hombre y, en general, de los mamíferos.
La enfermedad llamada hipertrofia de la próstata, puede llegar a ser muy grave. La glándula aumenta de tamaño y oprime la uretra, impidiendo el paso de la orina.

1. Nicolás es demasiado pequeño para saber el por qué de sus ansias de beber. Pero sí sabe que tiene la boca seca.
2. De tanto correr, Marcos ha acabado con la lengua fuera y sudando a mares. El agua que ha salido de su cuerpo debe ahora reponerla y es por ello que tiene sed.
3. Dentro de un rato, Bernardo tendrá una gran sed. Con el exceso de azúcar, sus células cederán agua a la sangre y nuestro amigo necesitará beber.

COMPOSICIÓN DE LA ORINA	
Agua	95%
Sales minerales	2%
Urea	
Ácido úrico	3%

¿De qué está compuesta la orina?

Como sabes, la principal función de la orina es eliminar los productos tóxicos o de desecho producidos durante el metabolismo.

La sustancia de desecho que se produce durante la *combustión* de los hidratos de carbono en las células es el dióxido de carbono, que se elimina con la respiración.

Pero en el metabolismo de las proteínas, las células eliminan *nitrógeno*, cuya acumulación en el organismo puede ser muy peligrosa.

El nitrógeno que ha de ser eliminado del organismo forma, junto con el *ácido úrico*, la **urea**, la principal sustancia de desecho que entra en la composición de la orina.

La orina está compuesta en su mayor parte por agua y contiene, además de urea, diversas sales, como sodio, potasio, etc.

En circunstancias normales, en un análisis de orina suelen aparecer siempre las mismas sustancias, por lo que la presencia de otros componentes infrecuentes puede ser el síntoma de alguna enfermedad.

Además de los productos de desecho del metabolismo, por la orina se eliminan también gran parte de los residuos de los medicamentos que tomamos cuando estamos enfermos.

¿Sabías que...

...algunos animales y plantas almacenan el agua?

Los animales y las plantas necesitan agua para vivir. Los animales precisan agua para que sus células se nutran y para eliminar las sustancias de desecho; y las plantas utilizan el agua para captar la energía del sol a través de la *clorofila* que da el color verde a las hojas; en este proceso, llamado *fotosíntesis*, las plantas expulsan oxígeno y toman dióxido de carbono.

Los cactus son plantas de desierto que no tienen hojas; realizan la fotosíntesis en sus gruesos tallos. Extienden las raíces para captar el mayor volumen posible de agua de lluvia y la almacenan en los tallos.

El mezquite, propio de los desiertos americanos, obtiene el agua que necesita hundiendo sus raíces hasta una profundidad de más de 50 m, donde hay humedad.

Estas plantas son las únicas fuentes de agua para muchos animales del desierto que, como el adax, un antílope africano, se alimentan de ellos y no necesitan beber. Con el agua de la planta tiene suficiente.

Otro herbívoro, el camello, ha resuelto el problema de otra manera. Almacenando grasa bajo la joroba y reduciendo al máximo las pérdidas de agua a través del sudor.

Los distintos recursos que la naturaleza ha proporcionado a los seres vivos que han debido adaptarse a los clima extremadamente secos, tienen sus ejemplos más característicos en los cactos, en el reino vegetal, y en los camellos en el reino animal. En ambos casos hallamos un almacén o reserva de agua: en el interior del tallo de los cactus y en la gran joroba de los camellos, donde las grasas emulsionadas, constituyen una riquísima reserva energética.

El agua, vital para el organismo

El agua es un medio de transporte que recorre todo el cuerpo formando parte de la sangre. *El plasma*, la parte líquida de la sangre, está formado fundamentalmente por agua que lleva azúcares y proteínas y sales minerales en disolución.

Pero además el agua es fundamental para que las células realicen sus funciones, pues éstas reciben el oxígeno y las sustancias nutritivas de los alimentos a través de la sangre y, por lo tanto, a través del agua.

El agua interviene en todos los procesos de nutrición de las células.

• Contribuye a la absorción de los alimentos en el intestino.

• Transporta en disolución en la sangre sales minerales y sustancias nutritivas a las células.

• Acarrea al exterior a través de la respiración, del sudor, de las heces y de la orina los productos de desecho del metabolismo.

Eliminamos un promedio de 1,5 litros diarios de orina. ¿Cómo es posible, si hay días en los que bebemos mucha menos agua?

La mayor parte del agua la ingerimos con los alimentos; si comes, por ejemplo, un panecillo de 100 g, ingieres 35 g de agua y con una manzana de 100 g, casi 90 g de agua.

Así se explica que aun en el caso de no tomar ni un sorbo de agua, podamos ingerir con los alimentos casi 2,5 l diarios de líquido.

De cualquier modo, es necesario beber agua diariamente para completar el líquido ingerido con los alimentos.

Para tomar el agua que necesitmos no es necesario beber agua en grandes cantidades. Podemos seguir el ejemplo de Marcos y comer fruta cada día. El noventa por ciento del peso de la manzana que Marcos está mordisqueando, es agua y sólo agua.
¡Ah! También el pan de su bocadillo representa una buena provisión de agua.

Antes de pasar a los depósitos de distribución, el agua que llega a las plantas depuradoras, procedente de ríos o pantanos, pasa por una serie de depósitos donde es tratada por medios químicos (con coagulantes), medios físicos (filtración), y mezclada con sustancias desinfectantes, como el cloro.

PLANTA DEPURADORA DE AGUA

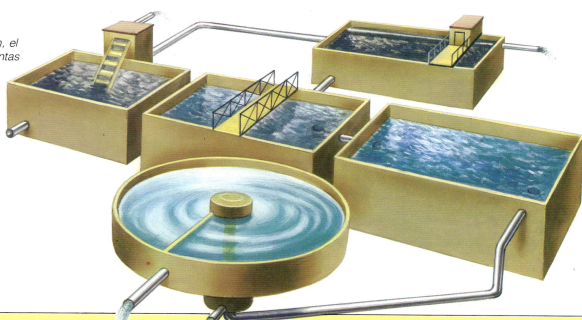

¿Sabías que...

...el agua que bebemos ha sido antes filtrada y esterilizada para que sea potable?

El agua que bebemos y que se utiliza en la industria y en la agricultura proviene del *subsuelo*, de *manantiales*, de *ríos*, de *lagos* y de *embalses*.

El agua de lluvia que se acumula en el subsuelo y que puede captarse con *pozos artesianos* o aflorar de modo natural en manantiales, no suele contener gérmenes; es agua potable.

El agua del mar puede usarse para beber; pero requiere un proceso difícil y costoso para hacerla potable.

El agua de los ríos se retiene mediante la construcción de una *presa*, y del embalse formado se capta el agua, que debe ser purificada, para eliminar gérmenes.

El agua es bombeada hasta *plantas potabilizadoras*, donde se limpia, añadiéndole unas sustancias llamadas *coagulantes*, que concentran las partículas de suciedad y las depositan en el fondo; se filtra, haciéndola pasar por varias capas de arena; y finalmente se esteriliza, tratándola con productos químicos, *cloro* sobre todo, que destruyen las bacterias.

Una vez purificada, el agua se bombea desde la planta potabilizadora hasta las ciudades y los pueblos, conduciéndola por grandes tuberías, que se ramifican en redes más estrechas, a través de las cuales el agua llega a todas partes.

La sangre y los riñones

Como ya viste en los volúmenes en los que se explica la digestión, los alimentos cumplen dos funciones básicas en el organismo: *energética* y *plástica*.

Los alimentos energéticos son los hidratos de carbono y las grasas, que transformados en *azúcares simples* y en *ácidos grasos* y *glicerina*, producen calor y movimiento, es decir, energía.

Los alimentos plásticos son las proteínas, que transformadas en *aminoácidos*, constituyen el «material» con el que se construyen los tejidos del cuerpo.

En el trabajo realizado por las células para nutrirse con estos componentes básicos de los alimentos, se producen residuos. Los hidratos de carbono y las grasas se transforman en dióxido de carbono y agua, que se elimina en parte por la respiración. Las proteínas se convierten en nitrógeno, fósforo, azufre, etc.

El nitrógeno se transforma después en *amoniaco* y las sustancias que contienen fósforo y azufre en *sales*.

El amoniaco y las sales vertidas por las células en la sangre son nocivos para el organismo. Además las células los producen constantemente y su acumulación sería muy peligrosa.

Estas sustancias tóxicas producidas durante el metabolismo son descargadas por las células en la sangre.

La sangre se encarga, por lo tanto, de nutrir a las células; pero también de recoger los productos de desecho.

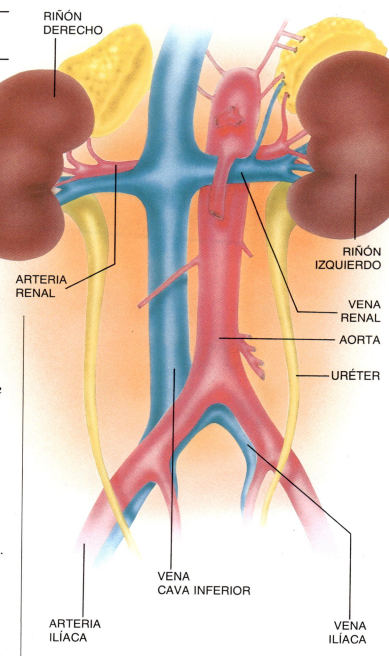

RIÑÓN DERECHO

RIÑÓN IZQUIERDO

ARTERIA RENAL

VENA RENAL

AORTA

URÉTER

VENA CAVA INFERIOR

ARTERIA ILÍACA

VENA ILÍACA

RELACIÓN ENTRE EL SISTEMA CIRCULATORIO SANGUÍNEO Y EL SISTEMA EXCRETOR

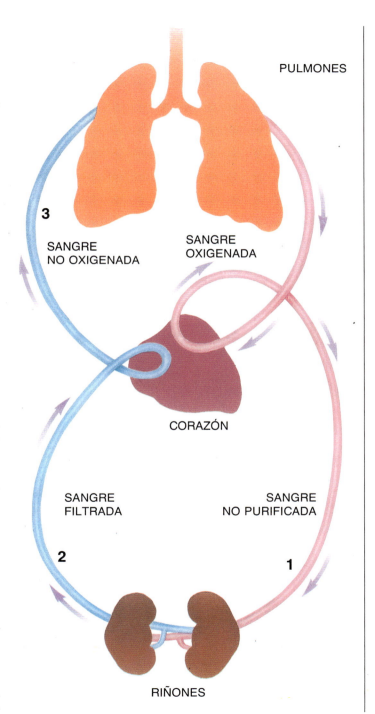

PULMONES

3

SANGRE
NO OXIGENADA

SANGRE
OXIGENADA

CORAZÓN

SANGRE
FILTRADA

SANGRE
NO PURIFICADA

2

1

RIÑONES

La función de los riñones es la de separar de la sangre estas sustancias perjudiciales. Para ello, filtran la sangre y dejan pasar sólo agua con las sustancias de desecho que hay que eliminar.

En los esquemas de estas páginas, puedes ver la relación que existe entre los riñones y el sistema circulatorio sanguíneo.

• 1. La sangre entra por las *arterias renales* en los riñones y va por una red de vasos y de capilares sanguíneos a las nefronas.

En las nefronas de cada riñón, se purifica una gran parte de la sangre, mientras que con los residuos se forma la orina, separando de la sangre el exceso de agua, la sal, la urea y otras sustancias de desecho.

Por los riñones, pasan unos 170 l de sangre al día, lo que significa que toda la sangre es filtrada más de 30 veces cada veinticuatro horas, puesto que el volumen de sangre es de unos 5 l.

El 99 % del líquido filtrado vuelve a la circulación sanguínea y sólo se elimina 1,5 l de orina, en su mayor parte agua.

• 2. A través de la vena cava inferior, la sangre filtrada vuelve al corazón.

• 3. Del corazón, la sangre filtrada por los riñones va a los pulmones, para ser nuevamente oxigenada.

En la ilustración de la página anterior están representados los vasos sanguíneos que llevan la sangre a los riñones y aquellos que la recogen una vez purificada. La sangre entra en los riñones conducida por las arterias renales y, una vez filtrada, sale de ellos por las venas renales que la vierten a la vena cava inferior. En cuanto al esquema de esta misma página, expresa la relación entre los riñones y el conjunto del sistema circulatorio sanguíneo. La sangre, desde que sale de los pulmones hasta que entra en los riñones, recoge las impurezas que le ceden las células de todos los tejidos como residuos del metabolismo.

Aprender a controlar el esfínter externo

La mayoría de niños aprende a controlar voluntariamente antes de los cuatro años el músculo o *esfínter externo* que abre el orificio de la uretra. Pero es común que niños de más de cinco años no hayan llegado aún a dominar este mecanismo.

Estos niños padecen **enuresis** o **incontinencia de orina**, que es la emisión involuntaria y repetida de orina a partir de los cuatro años, edad en la que lo normal es que la mayoría de los niños hayan efectuado el aprendizaje de la *micción*.

Casi siempre la enuresis es nocturna y afecta al niño mientras duerme.

Puede ser debida a malformaciones de la uretra o de la vejiga. Algunos

Nicolás está aún en una edad en la que es normal no controlar la expulsión de la orina, sobre todo durante el sueño. Nicolás, sin inmutarse, se hace pipí en la cama nadie se sorprende. Pero si la «costumbre» persiste cuando ya haya cumplido sus cinco o seis añitos, deberá pensarse en poner remedio a su enuresis.

niños pueden tener la vejiga pequeña, por lo que se distiende menos al llenarse y no la sienten llena con la suficiente intensidad como para despertarse durante la noche.

En estos casos, se aconseja que durante el día, retengan la orina varios minutos antes de ir al lavabo; así la vejiga se distiende más.

Pero lo más común es que la enuresis esté relacionada con factores psíquicos. Suele afectar a niños que tienen conflictos afectivos de carácter familiar y, en ocasiones, hacerse pipí en la cama puede ser una forma inconsciente de rebelarse contra los padres.

Algunos niños no se hacen pipí en la cama de modo habitual y, sin embargo, puede ocurrirles cuando alguna circunstancia afecta a su vida cotidiana, como un cambio de colegio, un cambio de domicilio, etc.

¿Sabías que...

...para que un trasplante se realice con éxito es vital la rapidez?

El trasplante es la sustitución de un órgano o tejido enfermo por otro sano, mediante una operación quirúrgica.

En la actualidad, se realizan muchos trasplantes en los hospitales de todo el mundo, a pesar de que no se ha resuelto el principal problema: el *rechazo*.

El organismo reacciona en el sentido de no admitir el órgano «extraño».

Se realizan trasplantes de diversos órganos, como corazón, hígado, córnea, piel...

El transplante más habitual y el que plantea menos riesgos es el de riñón. Desde el primero realizado con éxito en Estados Unidos en 1954, se han efectuado más de 30.000 en todo el mundo.

Detrás de un trasplante de riñón hay una eficaz organización: los enfermos, que figuran en *listas de espera*, están bajo observación periódica y los equipos médicos se hallan siempre dispuestos.

Una vez procesados los datos del receptor y del donante en un ordenador —es famoso el de la organización Eurotransplant en Holanda—, se pone en marcha un complejo mecanismo, en el que la clave del éxito es la rapidez.

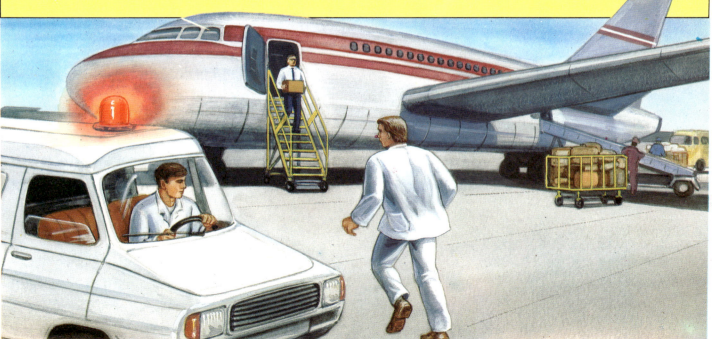

Más vale prevenir que curar

Los cuidados del aparato urinario

Como hemos visto, la función que realizan los riñones filtrando la sangre es fundamental para mantener la composición y el volumen de sangre y para eliminar las sustancias nocivas del organismo.

Para hacer trabajar tus riñones y enconservarlos sanos, debes beber suficiente agua y seguir una alimentación variada, que complete la ingestión de líquidos.

Éstas son algunas normas para que el funcionamiento del aparato urinario sea el correcto:

• Ingerir una cantidad suficiente de líquido. Se facilita así la eliminación de sustancias tóxicas con la orina.

Ello no significa que haya que beber demasiada agua, pues la mayoría de alimentos proporcionan una cantidad suficiente de líquido.

• Beber más en verano, puesto que se pierde más líquido por el sudor.

• A veces, un aporte excesivo de líquidos puede ser perjudicial, cuando por anormalidades en el funcionamiento de los riñones, éstos son incapaces de filtrar toda la sangre que reciben.

• En cualquier caso, la orina es un excelente medio para detectar anormalidades en el funcionamiento de los riñones.

Cuando aparecen cambios de color en la orina o cuando se orina con demasiada o con muy poca frecuencia, es aconsejable acudir al médico.

ANALISTA TRABAJANDO CON UN MODERNO MICROSCOPIO

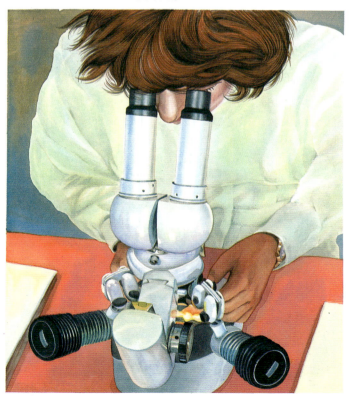

Los análisis de orina

El volumen de la orina excretada y su color dependen, en parte, de la cantidad y de la clase de alimentos ingeridos, del líquido perdido por el sudor, la respiración, etc.

Por ello, para obtener una información precisa de las sustancias y cuerpos contenidos en la orina se analiza ésta en laboratorios.

En los análisis de orina, se determina las sustancias que hay en la orina y en qué proporción, para comprobar si alguna de ellas no está en la proporción normal, lo que puede ser el síntoma de una enfermedad.

Los análisis de orina se pueden hacer mezclando la orina con algunos reactivos o utilizando un microscopio para detectar gérmenes y bacterias.

Los cálculos renales

En la pelvis renal, se pueden producir infecciones, a causa de la presencia en la orina de algunas sustancias que se acumulan en forma de sales y que pueden llegar a convertirse en **piedras** o **cálculos** de hasta 5 cm de diámetro o más.

Los cálculos renales pueden deberse tanto a la ingestión de estas sustancias con los alimentos, como a trastornos del metabolismo o a la disminución del volumen de agua existente en el organismo.

Si la piedra o el cálculo desciende por el uréter, puede producir un dolor muy agudo, conocido con el nombre de **cólico nefrítico**,

que cesa cuando el cálculo llega a la vejiga.

Si el cálculo es pequeño, es posible expulsarlo con la orina. Pero cuando el tamaño no permite su expulsión, es necesaria una intervención quirúrgica.

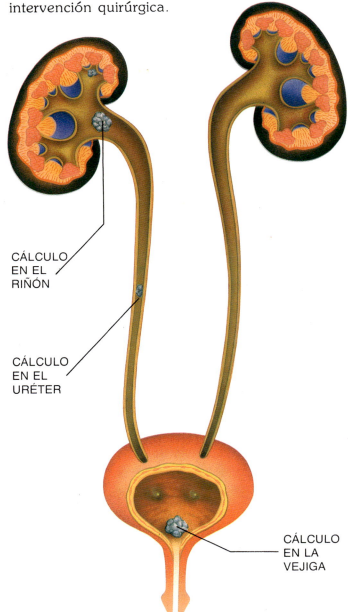

CÁLCULO EN EL RIÑÓN

CÁLCULO EN EL URÉTER

CÁLCULO EN LA VEJIGA

Cuando los riñones no funcionan bien

Cuando los riñones no funcionan correctamente existe una **insuficiencia renal**.

A causa de la insuficiencia renal, las sustancias tóxicas que deberían ser eliminadas por los riñones quedan retenidas en la sangre; esta retención anormal se denomina *uremia*.

La insuficiencia renal puede ser *aguda* o *crónica*.

La insuficiencia renal aguda puede ser leve y se puede producir por la obstrucción de las vías urinarias a causa de un cálculo, por insuficiente aporte sanguíneo al riñón, por una infección, etc.

La insuficiencia renal crónica es una enfermedad grave; para sustituir el trabajo que los riñones no pueden realizar, debe recurrirse a la **diálisis** o al **trasplante de riñón**.

El riñón artificial

Cuando los riñones no pueden filtrar la sangre, es necesario recurrir a la diálisis.

La diálisis es un procedimiento de depuración artificial de la sangre, para sustituir las funciones de un riñón enfermo.

Para ello, se utiliza un **riñón artificial**.

El riñón artificial es un aparato que realiza fuera del cuerpo la separación de los desechos del metabolismo. La sangre que llega al riñón artificial se recoge de una arteria del paciente y, una vez filtrada, se devuelve a una vena.

En una parte del riñón artificial, llamada *dializador*, entra en contacto la sangre del enfermo con un líquido previamente preparado. En este líquido, hay pocas sustancias nocivas presentes en la sangre, por lo que de la sangre del paciente pasan fácilmente al líquido de diálisis y son eliminadas.

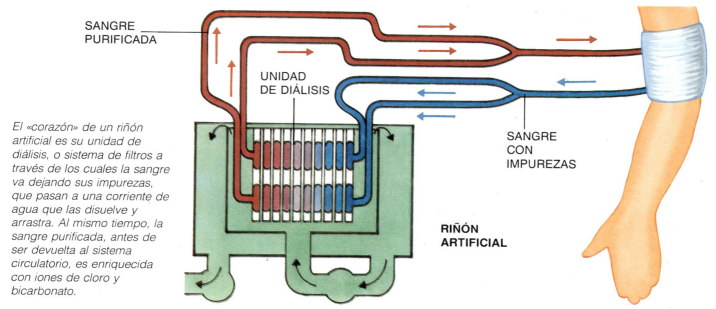

SANGRE PURIFICADA

UNIDAD DE DIÁLISIS

SANGRE CON IMPUREZAS

RIÑÓN ARTIFICIAL

El «corazón» de un riñón artificial es su unidad de diálisis, o sistema de filtros a través de los cuales la sangre va dejando sus impurezas, que pasan a una corriente de agua que las disuelve y arrastra. Al mismo tiempo, la sangre purificada, antes de ser devuelta al sistema circulatorio, es enriquecida con iones de cloro y bicarbonato.

Las personas que padecen insuficiencia renal crónica deben adaptar sus hábitos de vida a las imprescindibles sesiones de diálisis, que suelen ocupar de cuatro a seis horas diarias, tres días a la semana. Como ves es una dependencia casi absoluta que condiciona la vida del enfermo.

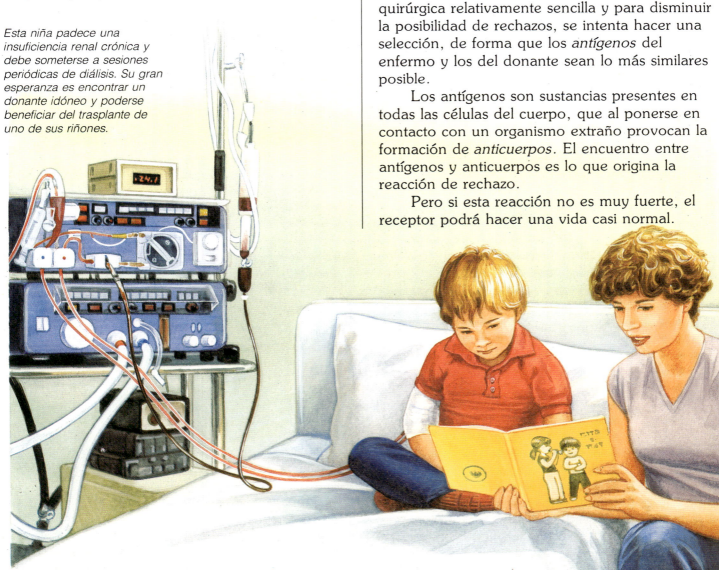

Esta niña padece una insuficiencia renal crónica y debe someterse a sesiones periódicas de diálisis. Su gran esperanza es encontrar un donante idóneo y poderse beneficiar del trasplante de uno de sus riñones.

Vivir con un nuevo riñón

La solución definitiva para los enfermos de riñón es el trasplante. Es una operación quirúrgica relativamente sencilla y para disminuir la posibilidad de rechazos, se intenta hacer una selección, de forma que los *antígenos* del enfermo y los del donante sean lo más similares posible.

Los antígenos son sustancias presentes en todas las células del cuerpo, que al ponerse en contacto con un organismo extraño provocan la formación de *anticuerpos*. El encuentro entre antígenos y anticuerpos es lo que origina la reacción de rechazo.

Pero si esta reacción no es muy fuerte, el receptor podrá hacer una vida casi normal.

Glosario

aguas residuales   Nombre que se da a las aguas de desecho procedentes del alcantarillado de los núcleos de población, de vertidos industriales o de otra procedencia, que arrastran materiales tóxicos y sustancias orgánicas en descomposición.

alcalino   Sustancia que contiene un álcali o base, o sea, un compuesto químico de carácter opuesto al de los ácidos y que neutralizan la acción de éstos. Las lejías y jabones son sustancias alcalinas.

amoniaco   Compuesto que, químicamente puro, es un gas cuyas moléculas están formadas por un átomo de nitrógeno (N) y tres de hidrógeno (H), por lo que su fórmula química es NH_3. Es muy soluble en el agua, con la cual forma un hidrato amónico.

asimilados   Se dice que los nutrientes (sustancias nutritivas) han sido asimilados, cuando gracias al metabolismo han pasado a formar parte de la materia orgánica de un ser vivo, para la conservación de sus tejidos o para su desarrollo.

caloría   Unidad de cantidad de calor. Se define como la cantidad de calor necesaria para elevar en un grado centígrado la temperatura de un gramo de agua. La unidad práctica es la *kilocaloría*, que equivale a mil calorías.

capilares linfáticos   Conductos de diámetro muy pequeño pertenecientes al *sistema circulatorio linfático*. Por ellos circula la *linfa*, líquido parecido a la sangre, pero que no contiene glóbulos rojos. Los vasos linfáticos intestinales se llaman también *quilíferos*.

carotenoides   Pigmentos de color amarillo o rojizo, que se encuentran en los vegetales (tomate y zanahoria, por ejemplo) y en algunos productos de origen animal, como la yema de huevo, la mantequilla de leche, y de los cuales deriva la vitamina A. Se les llama también provitaminas A.

células adiposas   Células que forman los tejidos grasos o adiposos. Son de gran tamaño (contienen gran cantidad de grasa) y están muy unidas las unas a las otras.

céreo   Que es de cera, que contiene cera, o que tiene el aspecto de la cera.

cría intensiva   Desarrollo rápido de animales de granja, (lo que se consigue con técnicas diversas) destinados a la producción de carne para la alimentación humana.

cutícula dental   Una cutícula, en general, es una capa superficial que recubre una determinada formación o tejido orgánico. La cutícula dental es la película dura que recubre el esmalte.

Glosario

desnutrición   Debilitamiento del organismo debido a los trastornos que produce la falta de alimentos.

diálisis   En los tratamientos con riñón artificial, eliminación de sustancias nocivas de la sangre por difusión a través de membranas artificiales semiporosas.

dispepsia   Trastorno de las funciones digestivas sea cual fuere su causa y su localización. Es un término médico muy vago, que puede considerarse sinónimo de *indigestión*.

emulsión   Líquido formado por dos sustancias no miscibles (que no se pueden mezclar), una de las cuales se halla dispersa en la otra en forma de gotas pequeñísimas.

emulsionar   Disgregar una sustancia no soluble en agua (por ejemplo una grasa) en partículas tan pequeñas que puedan quedar en suspensión en ella, permanente y uniformemente, formando una emulsión.

epidemia   Enfermedad que se asienta temporalmente en una zona o región geográfica, y que afecta a muchas personas.

escorbuto   Enfermedad debida a la carencia de vitamina C. Produce debilidad, anemia, propensión a las hemorragias (sobre todo en las encías) y trastornos intestinales con dolores y calambres.

esfínter   Músculo en forma de anillo que abre o cierra una cavidad del cuerpo: esfínter del ano, de la uretra, del píloro… Estos esfínteres, cuando están en reposo, pueden permanecer normalmente cerrados (caso del esfínter del ano), para abrirse mediante una contracción.

fototerapia   Tratamiento curativo de algunas enfermedades, especialmente dermatosis, neuralgias y raquitismo, mediante radiaciones luminosas, naturales o artificiales.

gástrico   Que pertenece o se relaciona con el estómago. Así, los jugos gástricos son los que se producen en el estómago, una fiebre gástrica será una fiebre debida al estómago, etc.

gérmenes   Se llama germen a todo aquello que es el principio de alguna cosa. En medicina un germen es todo microorganismo capaz de producir una enfermedad infecciosa.

hemoglobina   Sustancia colorante de los glóbulos rojos de la sangre. Contiene pequeñas cantidades de hierro gracias al cual puede fijar el oxígeno. En los alveolos pulmonares la hemoglobina se trans-

Glosario

forma en oxihemoglobina al «cargarse» de oxígeno. Es un óxido muy inestable que cede fácilmente el oxígeno a las células.

hermético   Lo que cierra de modo que no deja pasar el aire ni otros gases o líquidos.

hipertrofiado   Dícese del órgano cuyo volumen ha aumentado exageradamente. En tales casos se habla de una *hipertrofia*.

hipotálamo   Parte importantísima del encéfalo donde radican los centros de control del sistema nervioso *vegetativo*. En el hipotálamo se controla el metabolismo de las grasas, la presión arterial, la respiración, la temperatura corporal… También la producción de importantes *hormonas* se controla desde el hipotálamo.

lipasa   Fermento soluble contenido en los jugos digestivos, que actuando sobre las grasas o lípidos, contribuye a emulsionarlos.

lóbulo   En fisiología, toda porción saliente y redondeada de un órgano cualquiera. Quizás los más conocidos sean los lóbulos de los pulmones, del cerebro y del hígado.

Membrana mucosa   Membranas con numerosas glándulas cuyas secreciones las mantienen siempre húmedas y viscosas. Las mucosas recubren las cavidades y conductos de los animales vertebrados que se abren al exterior (vías respiratorias, intestinos, etc.).

molécula   Mínima porción de los cuerpos, simples o compuestos, que puede existir en estado de libertad.

monosacáridos   Azúcares simples, asimilables, que como la glucosa aparecen, en el hombre, como resultado del metabolismo de los *hidratos de carbono*.

metabolismo   Como ya hemos dicho (ver tomo I), conjunto de procesos químicos que, en el organismo, convierten los alimentos en sustancias asimilables. Debemos añadir que, durante el proceso, las sustancias nutritivas liberan energía (se queman) para el movimiento, o se transforman en sustancias asimilables que pasan a formar parte de las células que las necesitan.

morboso   Lo que no es sano; aquello que es indicio, causa o efecto de una enfermedad.

necrosis   Destrucción de células o tejidos.

odontología   Ciencia médica que estudia los dientes y sus enfermedades.

Glosario

órgano Desde el punto de vista de las Ciencias Naturales, cualquiera de las partes del cuerpo de un animal o vegetal, capaz de ejercer una función concreta.

papilas Prominencias o bultos con características diversas, esparcidos por la piel, mucosas y ciertos tejidos de algunos órganos.

peristáltico Dícese de lo que tiene la propiedad de contraerse. Se aplica a los movimientos de los gusanos y, por analogía, a las contracciones de los órganos muculares huecos.

saco elástico Saco cuya pared cede a la presión interna haciendo que la capacidad aumente. Cuando la presión desaparece, la pared elástica recupera su extensión primitiva.

saturación Estado de una disolución cuando la cantidad de sustancia disuelta es la máxima posible, de modo que ya no se puede disolver más cantidad de ella.

secreción Producción de sustancias líquidas por algunos órganos (glándulas) de los seres vivos. Una secreción es externa cuando los líquidos producidos se vierten al exterior del cuerpo (el sudor, por ejemplo), y son internas cuando los productos de la secreción se vierten en alguna parte del interior del cuerpo (las secreciones gástricas, por ejemplo).

sincronización Concordancia. Acciones que suceden al mismo tiempo.

sintetizar Formar un cuerpo compuesto a partir de sus partes más simples. Por ejemplo, nuestro organismo puede sintetizar moléculas de proteínas a partir de las moléculas (más simples) de los aminoácidos que las forman.

síntoma Señal que produce una enfermedad y de cuya aparición puede deducirse su existencia. Por ejemplo, el estornudo, síntoma de resfriado.

úlceras gástricas y duodenales Llagas que se producen en las mucosas del estómago y duodeno, respectivamente, debidas a un proceso patológico de destrucción del tejido.

vermicular Relativo a los *vermes*, o sea, a los gusanos. En fisiología se aplica a las contracciones musculares de los intestinos, porque se parecen a los movimientos de los vermes o gusanos, y para definir la forma de algunos órganos que, como en el caso del *apéndice vermicular* del intestino grueso, recuerdan la de un gusano.

vida sedentaria La del que permanece muchas horas sentado; que realiza poca actividad corporal.

Índice